Tudors

JANE BINGHAM

Ediouro Publicações de Lazer e Cultura Ltda.
Rio de Janeiro, 2015

OS TUDORS

 Comitê Executivo *Ediouro Publicações Ltda.*
Jorge Carneiro e Rogério Ventura
Coordenação Editorial
Daniel Stycer
Edição
Dirley Fernandes
Assistência de edição
Vinicius Palermo
Direção de Arte
Sidney Ferreira
Pesquisa iconográfica
Paloma Brito
Tradução
Carlos Eduardo Mattos, Samantha Nastacci e Davi Figueiredo de Sá
Revisão
Ricardo Jensen de Oliveira
Assistência de Produção
Raquel Souza

Todos os direitos reservados. Nenhuma parte desta obra pode ser reproduzida ou transmitida por qualquer forma e/ou quaisquer meios (eletrônico ou mecânico, incluindo fotocópia e gravação) ou arquivada em qualquer sistema ou banco de dados sem autorização dos detentores dos direitos autorais

Copyright © Arcturus Publishing Limited
Ediouro Publicações Ltda.
Rua Nova Jerusalém, 345
CEP: 21042-235
Rio de Janeiro – RJ
Tel. (21) 3992-8200
www.ediouro.com.br
www.historiaviva.com.br
facebook.com.br/historiaviva

SUMÁRIO

APRESENTAÇÃO 6

CAPÍTULO I
A luta pela Coroa (Henrique VII) 8

CAPÍTULO II
Nasce uma dinastia (Henrique VII) 16

CAPÍTULO III
Promessas de grandeza (Henrique VIII) 32

CAPÍTULO IV
Agitação e tirania (Henrique VIII) 46

CAPÍTULO V
O rei criança e a rainha dos 9 dias (Eduardo VI e Jane Grey) 64

CAPÍTULO VI
Bloody Mary 76

CAPÍTULO VII
A jovem Elizabeth I 92

CAPÍTULO VIII
Gloriana e o fim da dinastia (Elizabeth I) 112

EPÍLOGO
O legado dos Tudors 129

APRESENTAÇÃO

"Oh, que agora Richmond e Elizabeth, veros sucessores de cada casa real, pela justa ordem de Deus se unam e que seus herdeiros, ó Deus, se assim te apraz, enriqueçam o tempo por vir com a paz de macio rosto, com ridente abundância e belos, prósperos dias."

A fala do conde de Richmond é da peça Ricardo III, a mais encenada de Shakespeare.

Richmond, naquele último ato do drama, acabara de se tornar o rei Henrique VII ao vencer a guerra contra Ricardo III, no ato inaugural da dinastia Tudor. Shakespeare escreveu sobre aquela batalha, Bosworth, quase 110 anos depois. No momento em que ele colocava na boca do jovem rei a profecia sobre os "prósperos dias", ela já tinha se realizado em sua plenitude. A Inglaterra havia naquele pouco mais de um século – um período historicamente curto – saído da condição de um obscuro reino do norte para assumir o proscênio entre os Estados mais respeitados da Europa. Era o tempo de Elizabeth, chamada pelos súditos *The Good Queen Bess*, o último membro da dinastia Tudor a ocupar o trono inglês. Durante três gerações, ela e seus irmãos, pai e avô tinham transformado a Inglaterra em potência marítima e comercial, em meio a mudanças drásticas – como o rompimento com a Igreja católica, a maior proprietária de terras da ilha – e uma interminável rede de tramas pelo poder misturadas a dramas pessoais.

A impressionante e movimentada trajetória dos Tudors reflete o momento de transformação de uma Europa em transição da Idade Média para a Moderna no cenário de um mundo que se reconfigurava a partir das grandes navegações. Um tempo propício para lances dramáticos: mortes, revoluções, reviravoltas... E não à toa o momento em que floresceu o teatro de William Shakespeare, que contava com os favores reais. O surgimento do "Bardo", assim como as navegações de Drake ou a constituição das primeiras leis de proteção social, é mais uma prova da grandeza daqueles tempos, que fascinam ainda hoje.

FAMILIA REGIA
ab Holbenio picta

Pl. I

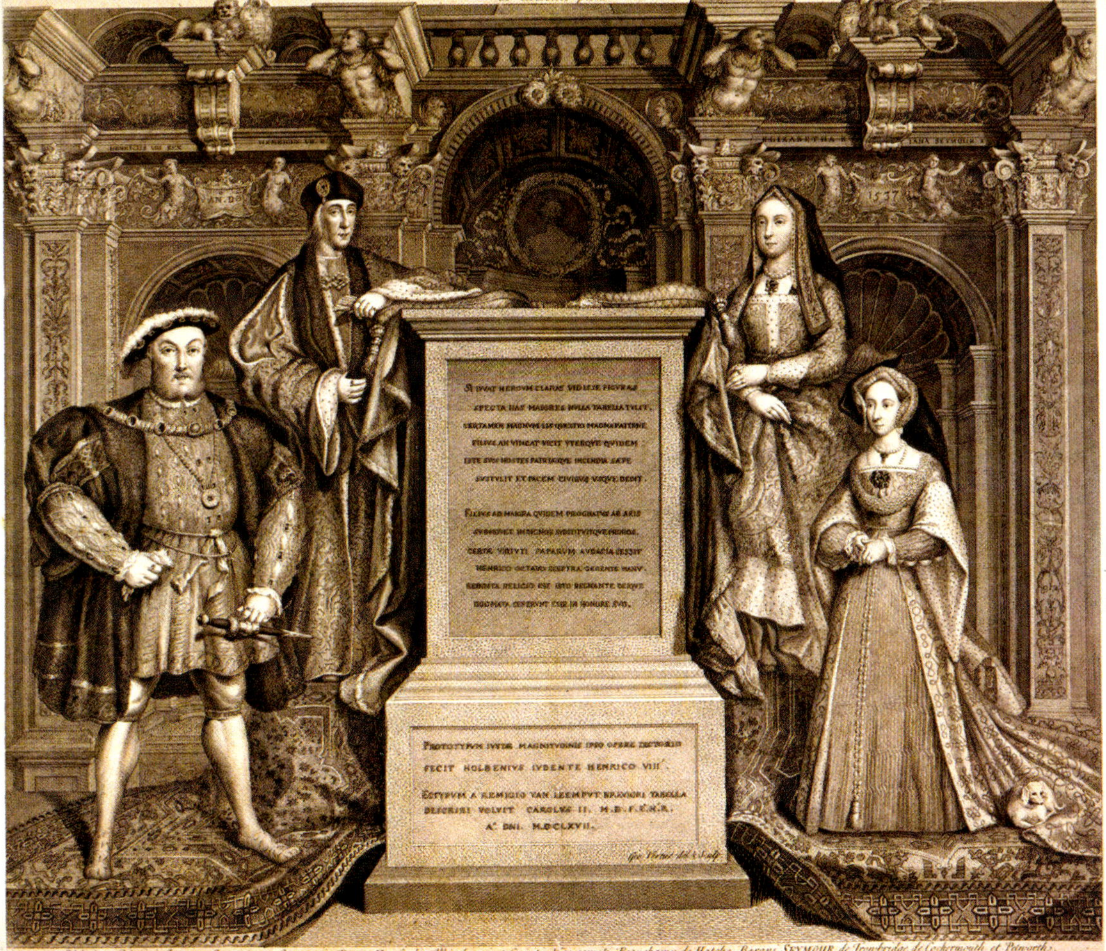

Celsissimo Principi CAROLO SEYMOUR, Somersetiæ DUCI, Hertfordiæ Marchioni et Comiti, Vice comiti Beauchamp de Hatche, Baroni SEYMOUR de Trowbridge de Cockermouth et Petworth,
... Whitehall ... P. D. D. *Georgius Vertue.*

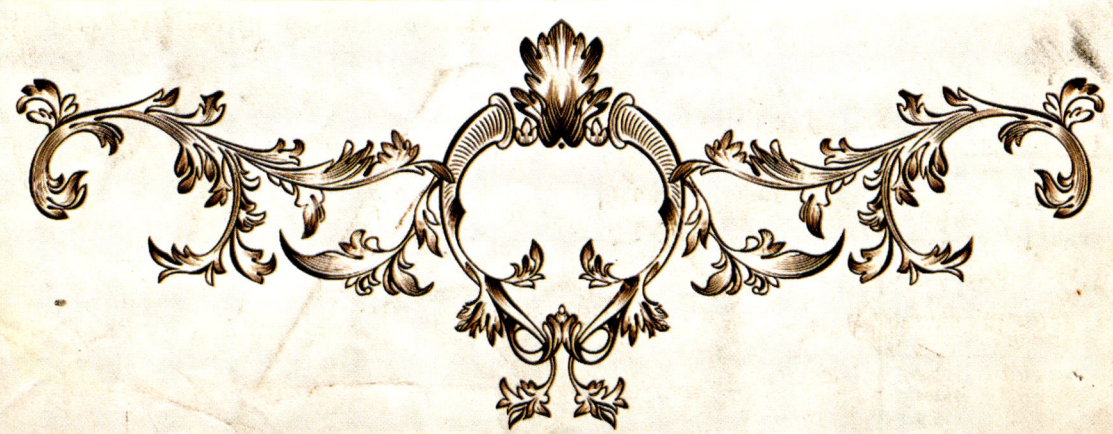

A LUTA PELA COROA

HENRIQUE TUDOR E A BATALHA CONTRA RICARDO III QUE DETERMINOU O FIM DAS GUERRAS DAS ROSAS

O campo de batalha em Bosworth estava pontilhado com os corpos dos feridos, mortos e agonizantes. Por quase três horas, os exércitos de York e Lancaster haviam lutado, mas agora o confronto sangrento estava terminado. Em meio à carnificina jazia o rei Ricardo III, o último monarca inglês a morrer em combate. Ricardo portara orgulhosamente sua coroa na batalha, e, enquanto ele agonizava – assim registraram os cronistas –, ela havia rolado para baixo de um arbusto. Quando a luta terminou, a coroa enlameada foi recuperada e colocada na cabeça do jovem vencedor. Foi um momento crucial na história inglesa. Quando Henrique Tudor aceitou a Coroa inglesa, as Guerras das Rosas chegaram ao fim e uma nova era teve início.

A dinastia que Henrique Tudor fundou reinaria por mais de 100 anos, presidindo uma idade de ouro na música, nas artes e na literatura. Durante a era Tudor, a Inglaterra experimentou a paz e a prosperidade, transformando-se de um reino obscuro do norte da Europa em um dos mais importantes atores da política mundial.

Quem era Henrique Tudor e como ele veio a reivindicar o trono inglês?

Em 28 de janeiro de 1457, um bebê do sexo masculino nasceu num frio aposento varrido pelas correntes de ar do castelo de Pembroke, no País de Gales. Não foi um começo promissor para um futuro rei. Seu pai, Edmund Tudor, conde de Richmond, estava morto havia três meses, e sua mãe, Margaret Beaufort, era pouco mais que uma criança. A viúva Margaret tinha 14 anos quando deu à luz Henrique, e o trabalho de parto quase a matou. Não se esperava que nem Margaret nem Henrique vivessem, mas contra todos os prognósticos ambos sobreviveram.

A mãe e a criança permaneceram no castelo de Pembroke aos cuidados de lorde Stafford, que não perdeu tempo e casou o próprio filho com a jovem viúva. Três meses após o nascimento, Henrique ganhava um padrasto, na figura de Henrique Stafford. Em seu remoto castelo galês, Henrique e a mãe estavam bem distantes da corte inglesa, mas não podiam permanecer indiferentes ao que se passava ali. As Guerras das Rosas haviam começado dois anos antes do nascimento de Henrique Tudor como resultado das pretensões de Ricardo, duque de York, ao trono inglês, e uma das vítimas do conflito fora o pai de Henrique.

Henrique VII foi o primeiro rei da dinastia Tudor

Retrato de Henrique VII, óleo sobre painel, anônimo, 1505, Galeria Nacional de Retratos, Londres

AS GUERRAS DAS ROSAS

Na luta pela Coroa entre os anos 1455 e 1485, um duro confronto pelo poder foi travado entre dois ramos da dinastia Plantageneta da família real inglesa, ambos descendentes do rei Eduardo III. Um dos ramos era o dos descendentes do duque de Lancaster, cujos partidários usavam como emblema uma rosa vermelha. O outro era o dos descendentes do duque de York, que exibiam uma rosa branca. Ao longo de um turbulento período de 30 anos o povo inglês foi governado por um rei lancastriano — Henrique VI — e três soberanos iorquistas — Eduardo IV, Eduardo V e Ricardo III. O último confronto decisivo das Guerras das Rosas ocorreu em 22 de agosto de 1485 em Bosworth, no que é atualmente Leicestershire, quando Henrique Tudor, herdeiro da casa de Lancaster, derrotou o rei iorquista Ricardo III.

Edmund Tudor estava lutando pela casa de Lancaster em 1456 quando foi capturado pelos iorquistas. Nas masmorras do castelo de Carmarthen, no País de Gales, Edmund contraiu a peste e morreu. Seu filho deve ter crescido ouvindo as histórias de horror dessas guerras. Os laços de Henrique Tudor com a casa de Lancaster eram fortes, ainda que manchados pelo escândalo. Tanto sua mãe quanto seu pai podiam reivindicar ascendência real, e seu tio e seu avô, Jasper e Owen Tudor, eram apaixonados partidários da causa lancastriana. Mas estar numa posição tão próxima à casa de Lancaster tinha os seus perigos. Na época do nascimento de Henrique Tudor, o poder estava escorregando das mãos do monarca lancastriano, o rei Henrique VI, e nenhum dos parentes do soberano encontrava-se em segurança. O jovem Henrique Tudor estava destinado a tornar-se uma peça valiosa em perigosos jogos pelo poder.

A ASCENDÊNCIA REAL DE HENRIQUE

A mãe de Henrique Tudor, Margaret, era descendente direta de John Beaufort, filho ilegítimo de John de Gaunt, duque de Lancaster, terceiro filho sobrevivente do rei Eduardo III. Do lado paterno, o avô de Henrique, Owen Tudor, tinha sido encarregado do guarda-roupa de Catarina de Valois, mulher do rei inglês Henrique V. A posição de Owen envolvia o acompanhamento das contas domésticas da rainha, e no decorrer de sua função ele desenvolveu uma íntima amizade com a sua real senhora. Após a morte prematura de Henrique V, Owen casou-se secretamente com Catarina e teve quatro filhos com ela — entre eles o pai de Henrique, Edmund —, que eram meios-irmãos de Henrique VI. Ligações questionáveis que explicam por que Henrique Tudor jamais proclamou ostensivamente uma reivindicação ao trono.

Uma primeira experiência com os jogos adultos de poder veio quando Henrique tinha apenas 4 anos. Em 1461, seus parentes mais próximos do sexo masculino – o tio Jasper e o avô Owen – envolveram-se numa luta de vida ou morte em defesa de seu rei, liderando as forças lancastrianas na Batalha de Mortimer's Cross. O exército deles foi amplamente derrotado e o rei lancastriano Henrique VI, substituído pelo monarca iorquista Eduardo IV.

Os iorquistas não demoraram para executar Owen Tudor, mas seu filho Jasper conseguiu escapar, viajando primeiro para a Escócia e depois para a França. Aos 4 anos, Henrique foi deixado sem um guardião ou protetor, mas outra figura dominante rapidamente assumiu essa função. Na qualidade de um dos principais nobres iorquistas no País de Gales, *sir* William Herbert encontrava-se em uma posição muito poderosa, e ele aproveitou a oportunidade para ganhar o controle sobre um jovem pupilo potencialmente valioso. Henrique foi bem acolhido no lar da família Herbert, o castelo de Raglan.

Esse movimento marcou para Henrique Tudor o início de um longo período de separação de sua mãe, pois Margaret estabeleceu-se na Inglaterra com o marido, Henrique Stafford. Aparentemente, a família Herbert tratou bem o jovem Henrique. Ele obteve permissão para conservar o título de conde de Richmond (herdado do pai) e recebeu uma boa educação. Mas o período de paz não duraria.

Em 1469, quando Henrique tinha 12 anos, *sir* William Herbert foi derrotado na Batalha de Edgecote Moor e mais tarde executado pelo todo-poderoso conde de Warwick (popularmente conhecido como Kingmaker ("fazedor de reis"). No ano seguinte, o monarca lancastriano, Henrique VI, foi reconduzido ao trono e Jasper Tudor voltou do exílio e assumiu o papel de guardião do sobrinho. Aos 13 anos, Henrique Tudor foi apresentado à corte real inglesa, onde começou uma nova vida na condição de conde e de um dos parentes favoritos do rei.

TUDO MUDA

Os meses seguintes devem ter sido um período confuso para o jovem Henrique. Ele viu-se obrigado a esquecer a família adotiva iorquista e a deixar definitivamente para trás sua infância no País de Gales, ao ser arremessado para o mundo da política de poder inglesa. Contudo, a nova vida de Henrique Tudor, mais uma vez, teria curta duração. Doze meses depois de ter sido reconduzido ao trono, Henrique VI foi levado para a prisão. Em 4 de maio de 1471, os iorquistas obtiveram uma vitória decisiva na Batalha de Tewkesbury e, no decorrer da luta, o príncipe de Gales, Eduardo, único filho e herdeiro do rei, foi morto. Menos de três semanas depois, Henrique VI morreu na Torre de Londres (houve fortes suspeitas de assassinato) e o líder iorquista, o rei Eduardo IV, retornou ao trono.

A mãe de Henrique tinha apenas 14 anos quando deu à luz o futuro rei

Retrato de *lady* Margaret Beaufort, *óleo sobre painel, anônimo, séc. XVI, Galeria Nacional de Retratos, Londres*

Essa dramática reviravolta na sorte da casa de Lancaster colocou mais uma vez a Inglaterra firmemente nas mãos dos iorquistas. Henrique Tudor era o novo herdeiro lancastriano – e se encontrava, por isso, em perigo mortal. Para grande desgosto de Eduardo IV, Jasper Tudor não perdeu tempo em conduzir seu sobrinho para a segurança, fazendo-o atravessar o canal da Mancha. Nas palavras do historiador Polydore Vergil (c. 1470-1555), estudioso da era Tudor, o rei reagiu "com enorme angústia" à notícia e ofereceu uma generosa recompensa a quem trouxesse os fugitivos de volta à Inglaterra.

Jasper, porém, havia encontrado um poderoso protetor para o sobrinho. O duque Francisco II da Bretanha era um governante de ideias independentes, que se recusava a ser intimidado por um rei inglês. Ignorando os incentivos para entregar os refugiados, Francisco II tornou público que forneceria proteção a Jasper e Henrique Tudor, enquanto os dois se comprometessem a não liderar um ataque contra Eduardo IV.

HENRIQUE NO EXÍLIO

Henrique Tudor permaneceria no exílio por 14 anos. Durante esse longo período na corte bretã, ele muitas vezes deve ter olhado com saudade e desejo para o lado oposto do canal da Mancha. Mas a Inglaterra sob Eduardo IV era um lugar muito perigoso para um herdeiro lancastriano. O rei havia estabelecido uma forte base de poder e, com o nascimento de seus dois filhos, a sucessão iorquista parecia inevitável. Na época em que Henrique Tudor chegou aos 26 anos, ele devia estar resignado a uma vida inteira de semicativeiro, mas então tudo mudou em poucos meses.

Na primavera de 1483, Eduardo IV ficou resfriado. Poucas semanas depois, ele estava morto, aos 40 anos. Seu filho mais velho, também chamado Eduardo, tinha apenas 12 anos, e por essa razão o tio de Eduardo, Ricardo de Gloucester, foi proclamado lorde protetor. O papel de Ricardo era governar em nome do menino rei, Eduardo V, até que este estivesse maduro o suficiente para assumir o poder. Poucos meses depois, porém, Eduardo e seu irmão caçula, Ricardo, foram presos na Torre de Londres e jamais seriam vistos outra vez. O encarceramento e assassinato dos dois príncipes é um dos mais notórios incidentes da história inglesa – um episódio ainda hoje debatido. No entanto, antes mesmo da morte deles, Ricardo havia conseguido que os jovens príncipes fossem declarados ilegítimos e fora coroado como o rei Ricardo III.

ASSASSINATO NA TORRE – QUEM FOI O RESPONSÁVEL?

Menos de um mês após a morte de Eduardo IV, em 9 de abril de 1483, seu filho mais velho, Eduardo V, foi mandado para a Torre de Londres; em 16 de junho, seu irmão mais novo, Ricardo, juntou-se a ele. Os dois príncipes chegaram a ser vistos no pátio interno da Torre, mas, no fim do verão, haviam desaparecido. O destino dos herdeiros iorquistas permanece desconhecido. Quem teria sido o responsável por suas mortes? A maioria dos historiadores acusou o rei Ricardo, mas alguns veem o duque de Buckingham, um aliado próximo de Ricardo III nos primeiros meses de seu reinado, como suspeito provável. Uns poucos sugeriram que foi Henrique Tudor quem orquestrou o crime, como um meio de remover obstáculos significativos à própria reivindicação do trono.

O REI RICARDO E SEUS INIMIGOS

O reinado de Ricardo III foi um dos mais controvertidos da história inglesa. Para Thomas More e William Shakespeare, que escreveram no século XVI, "Richard Crookback" (Ricardo, o Corcunda) era um facínora deformado, que cometeu ações as mais indignas. Historiadores posteriores tentaram reabilitar sua reputação salientando sua popularidade entre as populações do norte da Inglaterra. No entanto, por maiores que fossem as qualidades de Ricardo como governante, teve poucas oportunidades para exibi-las. Ele deparou com a oposição determinada de algumas das mais poderosas famílias do reino.

Entre os inimigos de Ricardo estava Elizabeth Woodville, viúva de Eduardo IV e mãe dos príncipes assassinados. Formidável matriarca, ela foi descrita em sua época como a mais bela mulher da Inglaterra, e havia a crença generalizada de que era uma bruxa. Elizabeth dedicou-se a buscar vingança contra Ricardo e a recuperar o poder para sua família. Para alcançar seus objetivos, ela estabeleceu uma aliança com os Tudors – especialmente com Margaret Beaufort. A mãe de Henrique era provavelmente a única mulher na Inglaterra que estava à altura de Elizabeth Woodville. Movida por uma ardente ambição na busca dos próprios objetivos e dos de seu filho, após a morte de seu segundo marido Margaret desposara um dos principais magnatas do reino. Lorde Thomas Stanley ocupava a posição de condestável da Inglaterra sob Ricardo III, mas estava preparado a dar o seu apoio a qualquer governante que pudesse lhe oferecer mais poder. Margaret planejou, com a ajuda do marido, colocar seu filho exilado no trono inglês.

CONSPIRAÇÕES E PROMESSAS

No final do verão de 1483, Elizabeth e Margaret haviam concebido um plano. Elizabeth e seus aliados dariam apoio a Henrique Tudor em seu projeto de ganhar a Coroa inglesa e Henrique desposaria a princesa Elizabeth, filha de Elizabeth e Eduardo IV. Ao unir as casas rivais de Lancaster e York, Henrique conquistaria o máximo de apoio possível para uma invasão, e um casamento entre as duas casas reais ajudaria a fundamentar sua reivindicação ao trono.

A primeira tentativa de invasão ocorreu em outubro de 1483. Os partidários de Henrique haviam preparado um ataque em muitas frentes, com a frota lancastriana desembarcando tropas no litoral do País de Gales enquanto irrompiam levantes em várias cidades inglesas. No entanto, seus planos foram prejudicados pelas comunicações ruins e por terríveis condições meteorológicas. O rei Ricardo agiu com rapidez para castigar os rebeldes, e muitos deles tiveram de juntar-se a Henrique na Bretanha para salvar a própria pele. Encontrando-se no cerne de uma crescente corte no exílio, Henrique Tudor decidiu realizar uma solene cerimônia para tornar públicos seus objetivos. No dia de Natal de 1483, na catedral de Rennes, o jovem pretendente ao trono proclamou-se o rei Henrique VII da Inglaterra, aceitou os juramentos de fidelidade de seus partidários e prometeu desposar a princesa Elizabeth tão logo recebesse a coroa. Foi o primeiro ato de Henrique sob o status de rei e um passo importante rumo à união das famílias rivais que haviam lutado pelo trono durante 30 anos.

FUGA NA HORA CERTA E NOVOS PLANOS

Henrique teve de lidar com outra ameaça à sua vida. No verão de 1484, seu protetor, o duque Francisco II da Bretanha, ficou seriamente doente, deixando seus domínios aos cuidados de conselheiros. Tirando vantagem da situação, Ricardo III pressionou os conselheiros bretões para que entregassem Henrique Tudor à Coroa inglesa. A exigência real foi aceita, mas o bispo Morton de Ely conseguiu enviar uma mensagem de aviso ao líder lancastriano. Henrique empreendeu uma rápida fuga para o leste, em direção ao norte da França, cavalgando disfarçado como um pajem, com os seus inimigos em perseguição acirrada, apenas uma hora atrás dele. Tão logo se encontrou em segurança na capital francesa, Henrique começou a reunir um grupo de partidários leais; entre eles estavam John de Vere, conde de Oxford, um comandante veterano de vários combates, e diversos homens que mais tarde se tornariam seus ministros. O rei Carlos VIII da França, temeroso das ambições de Ricardo III na política externa, também ofereceu assistência a Henrique sob a forma de um empréstimo de 60 mil francos e 1.800 mercenários. Um relato francês descreveu os mercenários como "os homens mais indisciplinados que se poderia encontrar", mas o líder Tudor agradecia qualquer ajuda.

Henrique havia sido informado de que Ricardo III estava tentando atrair alguns de seus novos partidários de volta para a causa iorquista e sabia que precisava agir com rapidez. Em 1º de agosto de 1485, uma pequena frota de apenas seis navios, sob o comando de Henrique, deixou o porto de Harfleur, no norte da França, e atravessou o canal da Mancha, seguindo para o litoral de Gales.

INVASÃO!

A viagem da França ao País de Gales levou uma semana – tempo suficiente para Henrique contemplar a tarefa que estava à frente. Seu exército era composto de 500 seguidores ingleses e uma companhia de mercenários franceses, num total de pouco mais de 2 mil homens. Henrique tinha a expectativa de receber o apoio dos lordes galeses; suas maiores esperanças estavam depositadas no padrasto, lorde Thomas Stanley, e no poderoso irmão de Thomas, *sir* William Stanley. Henrique tinha plena consciência de que nenhum dos dois era confiável

Enquanto isso, o rei Ricardo havia reunido uma força bem disciplinada e ocupava posições à espera de Henrique em Nottingham. Em 7 de agosto de 1485, pouco antes do cair da noite, a frota Tudor alcançou Milford Haven, um porto na extremidade sudoeste do litoral galês. Henrique saudou a terra de seu nascimento, ajoelhando-se humildemente para cantar o salmo "Judica me, Deus, et discerne causam meam" ("Julgai-me, Senhor, e defendei a minha causa") antes de reunir suas tropas. Seu exército inicialmente marchou para o norte e em seguida voltou-se para o interior para atravessar os montes

Torre de Londres, água-forte, Wenceslaus Hollar, séc. XVII, Museu do Louvre

Em Bosworth, Ricardo III e Henrique se enfrentaram pelo trono inglês

Ricardo III na Batalha de Bosworth, ilustração, Edmund Leighton, c. 1909

Cambrianos e entrar em território inglês. Após cinco dias de marcha, Henrique ganhou o primeiro aliado: o poderoso dono de terras Rhys ap Thomas com sua companhia de guerreiros galeses. Quatro dias depois, outro senhor local, Gilbert Talbot, trouxe mais 500 combatentes.

Em Tamworth, Leicestershire, Henrique teve um encontro secreto com Thomas e William Stanley, mas nenhum dos irmãos se comprometeu com sua causa. O rei Ricardo havia detido o filho mais velho de lorde Thomas como refém, em garantia da lealdade de seu pai. *Sir* William estava esperando para ver para que lado a vitória acenaria.

Henrique sabia que seu exército estaria em inferioridade numérica de quase dois para um, mas não tinha escolha senão marchar rumo a Leicester, onde as forças de Ricardo estavam posicionadas. No decorrer do dia 21 de agosto, as forças oponentes avançaram uma em direção à outra até que, ao cair da noite, se encontraram à distância de tiro. *Sir* William Stanley permaneceu em uma posição de observador neutro, tendo estabelecido acampamento numa colina das proximidades, com uma visão clara de ambas as forças. Não muito distante, seu irmão, lorde Thomas Stanley, também estava à espera com suas tropas.

No perigoso jogo da guerra, Thomas Stanley estava jogando por metas muito altas. Se ele fizesse qualquer movimento contra o rei Ricardo, a vida de seu filho estaria em perigo, mas ele também recebera de sua poderosa mulher a tarefa de apoiar o enteado Henrique. Tudo estava preparado para a batalha.

A BATALHA DE BOSWORTH FIELD

Aos 32 anos, Ricardo III era um experiente general e líder. Quando tinha apenas 18 anos, ele teve um papel crucial nas batalhas que reconduziram seu irmão Eduardo ao trono e, durante o reinado deste, demonstrou lealdade e habilidade como comandante militar. Como recompensa, fora nomeado governador do norte, tornando-se o mais poderoso nobre na Inglaterra. Como administrador, Ricardo mostrou ser eficiente, equilibrado e justo, e era visto com afeição, especialmente em York, onde estava baseado. Ao contrário do que disseram mitos populares posteriores, é quase certo que o rei não tivesse deformidades físicas. Ele era um formidável oponente para Henrique.

Já Henrique Tudor, durante os anos na França, fora treinado nas artes da guerra, mas suas habilidades jamais haviam sido testadas. Tendo passado toda a vida adulta como um exilado, sua liderança tinha por única base o apoio de um punhado de nobres ingleses, e até mesmo a sua reivindicação ao trono não era totalmente convincente.

Ainda que apenas quatro anos separassem os dois oponentes (Ricardo nascera em 1452; Henrique, em 1457), sua experiência passada estava a mundos de distância, e todas as vantagens pareciam residir com Ricardo. Estima-se que Ricardo III comandasse em torno de 8 mil homens, enquanto Henrique dispunha de 5 mil. Para Henrique, todas as esperanças de vitória repousavam nos ombros dos dois ambiciosos irmãos que esperavam o lance seguinte.

Por volta das 6 horas da manhã de 22 de agosto, o exército de Henrique começou a mover-se, marchando vagarosamente em direção à colina onde as forças de Ricardo estavam posicionadas. O rei esperava que os irmãos Stanley oferecessem apoio, porém, quando sinalizou para que eles avançassem, William não respondeu e Thomas pura e simplesmente se recusou, seguindo em vez disso na direção de Henrique para apoiá-lo. Quando o conde de Northumberland também fracassou em entrar em ação, Ricardo decidiu liderar ele próprio uma carga. Cavalgando diretamente para onde se encontrava o rival, o rei lutou desafiadoramente, matando primeiro o porta-estandarte de Henrique e depois outro guarda, antes de desferir um ataque contra o próprio Henrique. Foi um momento crucial no combate, mas o destino interveio na forma dos homens de lorde Thomas Stanley, que cercaram Ricardo e o obrigaram a recuar. Ele morreria pouco depois, no calor da luta, e a notícia se espalharia com rapidez. Com a morte de Ricardo III, *sir* William Stanley finalmente se juntou à batalha no lado de Henrique, empurrando para o sul os remanescentes do exército de Ricardo. Perto de uma elevação de terra mais tarde designada Crown Hill (colina da Coroa), os homens de Henrique aclamaram-no como seu novo soberano e, segundo a lenda, lorde Thomas Stanley colocou a coroa de Ricardo na cabeça de Henrique.

O corpo de Ricardo foi simbolicamente humilhado, despido e conduzido para longe do campo de batalha amarrado no dorso de um cavalo. Henrique seguiu para Londres em direção à sua coroação como o primeiro rei da dinastia Tudor.

O HENRIQUE TUDOR DE SHAKESPEARE

A peça de Shakespeare *King Ricardo the Third (Ricardo III)* termina no campo de batalha de Bosworth com a morte de Ricardo e a coroação de Henrique Tudor. No profético discurso final de Henrique, ele vislumbra uma idade de ouro de paz e abundância sob seus herdeiros:

"England hath long been mad, and scarred herself;
The brother blindly shed the brother's blood;
The father rashly slaughtered his own son;
The son, compelled, been butcher to the sire;
All that divided York and Lancaster,
Divided in their dire division.
O, now let Richmond and Elizabeth,
The true succeeders of each royal house,
By God's fair ordinance conjoin together,
And let their heirs, God, if his will be so,
Enrich the time to come with smooth-faced peace,
With smiling plenty, and fair prosperous days." (Ato 5, Cena 5)

"A Inglaterra muito enlouqueceu e se tem a si própria maltratado:/ O irmão cegamente sangue de irmão derramou;/ O pai desarrazoadamente seu próprio filho matou;/ O filho de seu pai foi carniceiro./ Tudo isto dividiu York e Lancastre,/ Dividiu, em medonha divisão./ Oh, que agora Richmond e Elizabeth,/ Legítimos sucessores de cada casa real/ Pela justa ordem de Deus se unam/ E que seus herdeiros, ó Deus, se assim te apraz,/ Enriqueçam o tempo por vir com a paz de macio rosto/ Com ridente abundância e belos, prósperos dias."

NASCE UMA DINASTIA

O REINADO DE HENRIQUE VII ENTRE PRETENDENTES AO TRONO E O LANÇAMENTO DAS BASES DE UM PERÍODO DE GLÓRIAS PARA A INGLATERRA

Para Henrique VII, Bosworth foi apenas o começo. Aos 28 anos, ele tinha diante de si o desafio de permanecer no trono e passá-lo a seus herdeiros – algo que todos os monarcas ingleses desde Henrique V haviam fracassado em fazer. Cercado de inimigos, ele deparava com a missão de trazer paz e estabilidade, após 30 anos de guerra civil.

Os cofres reais estavam vazios, e a reputação da Inglaterra entre suas rivais estrangeiras, perigosamente baixa. O reino se encontrava em profunda crise, e o povo inglês voltava os olhos para seu novo soberano, esperando que ele realizasse um milagre.

ASSEGURANDO O TRONO

À primeira vista, havia pouco na experiência de Henrique que o preparasse para o seu papel. Separado da mãe aos 4 anos, ele havia sido criado no exílio sem um pai para orientá-lo. Quando tinha 12 anos, perdera um guardião em quem confiava (lorde Herbert). Enquanto todos os nobres ingleses estavam acostumados a administrar grandes extensões de terra, Henrique Tudor jamais estivera à frente de uma propriedade senhorial, por pequena que fosse. De seus 28 anos, menos de dois foram passados em solo inglês.

No entanto, em que pesem as desvantagens, a conturbada juventude de Henrique lhe havia fornecido qualidades úteis. Desde a infância observara os jogos de poder, adquirindo íntima compreensão do perigoso mundo da política. Henrique aprendera a não confiar no julgamento de ninguém alheio a seu pequeno círculo de amigos e conselheiros de confiança. Acostumara-se a pesar todo tipo de situações, só decidindo por determinado curso de ação após cuidadosa consideração. Acima de tudo, os anos de insegurança de Henrique haviam-no deixado com uma ânsia irreprimível por estabilidade, que o levaria a estabelecer uma monarquia segura e bem fundamentada.

Casamento do rei Henrique VII e Elizabeth de York, gravura, G. Barret, séc. XVIII

Henrique encarou problemas urgentes nas semanas seguintes à sua vitória. Em primeiro lugar, havia a questão dos partidários de Ricardo. Deveriam ser punidos? Ou se podia esperar que respondessem a um tratamento razoável e jurassem fidelidade ao novo rei? Henrique decidiu-se por uma política que mesclava firmeza e conciliação. Uma de suas primeiras ações consistiu em colocar os despojos mutilados do rei Ricardo em exibição pública – um gesto que pode parecer brutal aos olhos modernos, mas que atendia a um propósito prático. Ao provar inquestionavelmente que Ricardo estava morto, Henrique sufocava quaisquer rumores de que o antigo rei havia escapado com vida, eliminando uma fonte potencial de rebelião futura.

Henrique lidou rapidamente com uma ameaça potencial à sua Coroa. O sobrinho de 10 anos de Ricardo, Eduardo, conde de Warwick, último integrante masculino da dinastia Plantageneta, era uma possível figura de proa para levantes iorquistas. Três dias depois de sua vitória, Henrique enviou tropas a Yorkshire com ordens de capturá-lo. Em seguida, o menino foi levado para a Torre de Londres, onde ficou confortavelmente instalado, ainda que guardado a sete chaves. Henrique adotou uma abordagem muito diferente em relação ao outro pretendente importante ao trono. Antes de sua morte, Ricardo III havia designado seu sobrinho, John de la Pole, conde de Lincoln, como herdeiro, mas Lincoln e seu pai, o duque de Suffolk, haviam jurado fidelidade ao novo rei depois de Bosworth. Henrique decidiu aceitar os votos de lealdade desses homens poderosos, e Lincoln foi convidado a integrar o Conselho Real.

Punições imediatas foram reservadas a alguns dos seguidores de Ricardo. William Catesby, um dos principais conselheiros do antigo rei, foi decapitado, e os condes de Surrey e Northumberland, aprisionados. Outros tiveram as terras confiscadas – medida altamente efetiva e com um bônus muito útil: renda extra para a Coroa. No conjunto, porém, Henrique mostrou notável clemência ao lidar com os iorquistas. Em 11 de outubro de 1485, um perdão real foi concedido a todos os partidários do rei Ricardo não capturados. O edito manifestou a magnanimidade do novo rei, mas também o seu entendimento de um fato inevitável: entre os iorquistas estavam alguns dos mais poderosos homens da Inglaterra, e Henrique precisava desesperadamente do apoio deles para a tarefa de governar.

Tendo menos de uma centena de partidários leais, o novo rei reconheceu a necessidade de trabalhar com os funcionários de Ricardo para garantir uma suave transição do poder. Como regra geral, quem não esteve em Bosworth foi mantido no lugar. Naturalmente, os mais próximos partidários do primeiro rei Tudor receberam altos postos. John Morton, que havia avisado Henrique da

Rei Ricardo III, óleo sobre painel, anônimo, séc. XVI, Galeria Nacional de Retratos, Londres

HUMILHANDO O REI RICARDO

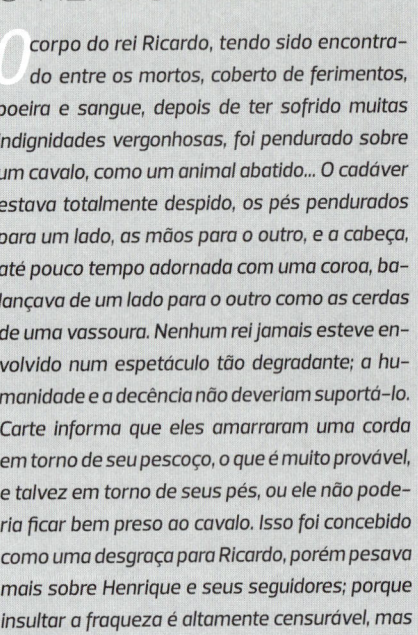

"O corpo do rei Ricardo, tendo sido encontrado entre os mortos, coberto de ferimentos, poeira e sangue, depois de ter sofrido muitas indignidades vergonhosas, foi pendurado sobre um cavalo, como um animal abatido... O cadáver estava totalmente despido, os pés pendurados para um lado, as mãos para o outro, e a cabeça, até pouco tempo adornada com uma coroa, balança de um lado para o outro como as cerdas de uma vassoura. Nenhum rei jamais esteve envolvido num espetáculo tão degradante; a humanidade e a decência não deveriam suportá-lo. Carte informa que eles amarraram uma corda em torno de seu pescoço, o que é muito provável, e talvez em torno de seus pés, ou ele não poderia ficar bem preso ao cavalo. Isso foi concebido como uma desgraça para Ricardo, porém pesava mais sobre Henrique e seus seguidores; porque insultar a fraqueza é altamente censurável, mas insultar os mortos o é ainda mais."

The Battle of Bosworth Field (A Batalha de Bosworth Field), de W. Hutton, publicado em 1813.

prisão iminente na Bretanha, foi nomeado arcebispo de Canterbury e lorde chanceler. Jasper Tudor, tio de Henrique, recebeu o ducado de Bedford e foi designado para o Conselho Real. Os irmãos Stanley (tão vitais para a vitória de Henrique) também se tornaram conselheiros reais. Para John de Vere, conde de Oxford, Henrique reservou os cargos de grande almirante da Inglaterra, administrador da Torre e guardião da real coleção de animais, que reunia espécimes exóticos, entre os quais leopardos e leões.

Um problema importante confrontava Henrique: como poderia justificar sua reivindicação ao trono inglês? Ele exibiu, mais uma vez, uma notável percepção de *realpolitik*. Em vez de insistir na força de seus laços de sangue (um jogo no qual poderia facilmente ser suplantado pelo jovem conde de Warwick), o novo soberano escolheu enfatizar seu papel de agente da vontade de Deus.

Graças à providência divina, proclamaram os advogados de Henrique, o novo rei havia livrado o povo inglês da tirania de Ricardo de York. Esses advogados tiveram também o cuidado de datar a reivindicação de Henrique ao trono em 21 de agosto de 1485, o dia anterior à Batalha de Bosworth – uma tática legal astuciosa que transformava o usurpador Henrique Tudor em defensor real.

FILHINHO DA MAMÃE?

Ainda que a mãe, Margaret Beaufort, tenha participado pouco de sua criação, o rei Henrique era devotado a ela. E Margaret explorou o mais possível seu papel real. Na corte, ela fazia questão de ser tratada como "minha senhora, a mãe do rei". Margaret teria sido responsável pelo afastamento da corte de Elizabeth Woodville, mãe da rainha. A história não registra como esta se sentia em relação a Margaret, mas não é muito difícil imaginar as reações de Elizabeth de York à sua sogra.

Em 30 de outubro de 1485, Henrique Tudor foi coroado rei da Inglaterra na Abadia de Westminster. Era a primeira aparição pública de Henrique como rei, e ele fez todo o possível para impressionar seus súditos, portando os mais belos trajes e joias que conseguiu reunir. Uma semana depois, o Parlamento garantiu os tesouros da Coroa para Henrique e seus herdeiros. A escolha do momento foi deliberada: Henrique não permitiria que se dissesse algum dia que o Parlamento o fizera rei. Finalmente, ele voltou-se para a outra cerimônia que asseguraria seu lugar no trono: o casamento com a princesa Elizabeth de York.

A ROSA VERMELHA E A ROSA BRANCA

Henrique estava determinado a desposar Elizabeth. Filha do rei Eduardo IV, ela comandava a lealdade de todos os partidários da casa de York. Ao tomar a princesa como sua mulher, Henrique tinha a expectativa de transformar antigos inimigos em aliados. Numa época em que todos os casamentos reais carregavam um peso de significado político, a união deveria se mostrar crucial para os destinos da Inglaterra. O casamento realizou-se em 18 de janeiro de 1486 e assinalou o fim de um conflito que havia dilacerado o país durante 30 anos. A rosa branca de York e a rosa vermelha de Lancaster se uniram, e um novo e poderoso símbolo nasceu – a rosa dupla, vermelha e branca, dos Tudors.

Em setembro de 1486, Elizabeth deu à luz um filho em Winchester, a antiga capital do rei Artur. O bebê real recebeu o nome de… Artur, ligando os Tudors ao antigo herói da Inglaterra. Parecia que Deus estava sorrindo para o novo rei. Henrique havia assegurado o seu trono e também gerado um herdeiro, que, por seu nome e local de nascimento, forjou laços com o passado britânico e com a esperança de um glorioso futuro sob os Tudors.

PRIMEIRAS PERTURBAÇÕES: UM LEVANTE IORQUISTA

Com a chegada da primavera de 1486, houve preocupantes rumores sobre focos de rebelião, especialmente no norte da Inglaterra, e o rei decidiu reafirmar sua autoridade por meio de uma viagem. Era esse o melhor meio para um soberano mostrar poder e riqueza aos súditos (um recurso que seria usado com grande impacto pelos Tudors subsequentes). Assim, em abril, o novo rei da Inglaterra seguiu para o norte, acompanhado por uma impressionante comitiva.

Menos de 12 meses antes, York, a capital setentrional, tinha sido a base de poder para a campanha de Ricardo III e mergulhara em *grete hevynesse* (grande abatimento) com a morte do rei. Mas, na verdade, os problemas vieram do sul. Desde Bosworth, alguns dos mais leais partidários de Ricardo haviam buscado santuário (asilo) em Colchester, Essex (no século XV, certos núcleos urbanos podiam oferecer proteção a perseguidos, desde que estes prometessem manter a paz). Com Henrique no norte, três influentes nobres iorquistas – Francis, visconde Lovell, e os irmãos Humphrey e Thomas Stafford – viram a oportunidade de romper o santuário e se levantar em rebelião. Lovell viajou para o norte, planejando emboscar o rei, enquanto os irmãos Stafford tomaram o rumo oeste, para Worcester, encarregados de fomentar o descontentamento.

Henrique estava em Lincoln quando soube da notícia. Recusando-se a se desviar de seu caminho, ele apenas enviou uma força armada para confrontar os rebeldes. A todos aqueles que haviam planejado se juntar ao levante foi oferecida uma escolha simples: perdão e reconciliação se concordassem em não lutar, ou excomunhão e morte caso persistissem em sua resistência. Os rebeldes dispersaram-se rapidamente. Os irmãos Stafford foram aprisionados na Torre de Londres sob acusações de traição.

Humphrey protestou com veemência, afirmando que seu direito ao santuário havia sido violado, mas a defesa foi ignorada e ele executado. Thomas, seu irmão mais novo, visto como uma ameaça de menor importância, foi mais tarde perdoado e libertado. Pelo resto da vida, Thomas Stafford manteve-se um súdito leal, mas Francis Lovell não seria contido tão facilmente. De algum modo, ele conseguiu escapar para Flandres, onde mais tarde se envolveu em outra conspiração contra o seu rei.

Lambert Simnel, Cavaleiro da Tulipa Dourada, gravura, artista da escola inglesa, séc. XVII

LAMBERT SIMNEL: PRETENDENTE AO TRONO

A sublevação da primavera de 1486 revelou-se um prelúdio para duas rebeliões bem mais sérias, focadas em reivindicações de pretendentes ao trono. A primeira começou em Oxford no outono de 1486, quando um padre e professor chamado Ricardo Symonds sonhou que era o tutor de um futuro monarca. O mais provável candidato ao papel real era Lambert Simnel, filho de 10 anos de um fabricante de órgãos que se mostrou convenientemente disposto a ocupar o posto de pretendente. Simnel foi contrabandeado por mar até a Irlanda, onde foi aclamado como Eduardo, conde de Warwick, sobrinho do falecido rei Ricardo III. Os irlandeses eram firmes partidários da causa iorquista e prontamente saudaram Simnel como o legítimo rei da Inglaterra.

De fato, o verdadeiro conde de Warwick estava trancafiado na segurança da Torre de Londres. Em fevereiro de 1487, quando os rumores sobre o pretendente começaram a se espalhar, o monarca fez o conde de 12 anos aparecer diante de alguns dos mais poderosos homens do reino. Henrique deve ter acreditado que uma prova tão incontestável sufocaria a rebelião, mas o tiro saiu pela culatra. Entre os nobres que interrogaram o jovem Eduardo estava seu primo, John de la Pole, conde de Lincoln, o herdeiro escolhido por Ricardo III. Ele estava irritado pela perda de poder desde Bosworth e nesse momento viu uma oportunidade. Seguro em seu conhecimento de que Simnel era uma fraude, Lincoln decidiu associar sua sorte à dos rebeldes. No momento oportuno – Lincoln deve ter pensado –, ele denunciaria sem dificuldade o jovem impostor e ocuparia seu lugar como legítimo pretendente ao trono. Com esse plano orquestrado, o jovem atravessou o canal da Mancha, dirigindo-se à corte de sua poderosa tia, Margaret, duquesa da Borgonha.

Poucos meses depois, os iorquistas estavam prontos para entrar em ação. Lincoln recebeu na Borgonha um grupo de nobres ingleses, entre os quais Francis Lovell, e em maio os rebeldes navegaram para a Irlanda com 2 mil soldados alemães. Simnel foi coroado como rei Eduardo VI em Dublin, antes de ser levado pelas ruas sobre os ombros do homem mais alto da cidade. Os rebeldes se prepararam para lançar uma invasão da Inglaterra.

Henrique reconheceu que era o momento de uma ação decisiva. Acreditando que a ameaça inicial viria da base de poder de Lincoln em East Anglia, no leste do país, ele marchou primeiro para Norfolk, mas, não encontrando oposição, seguiu outra vez para oeste e estabeleceu em Kenilworth uma base para suas tropas. Enquanto isso, Lincoln desembarcara em Lancashire e conduzia seu exército para York, onde, acreditava, encontraria apoio. No entanto, o ânimo da capital do norte mudara desde a época de Bosworth. Os mercadores haviam se acostumado à paz e à prosperidade oferecidas pelo rei Henrique, e o exército rebelde foi compelido a se dirigir para o sul.

Em 16 de junho de 1487, os dois exércitos se confrontaram nas proximidades de Newark, em East Stoke, numa batalha pela Coroa inglesa. As forças de Henrique eram mais numerosas que as de Lincoln – cerca de 12 mil homens contra 8 mil –, mas os rebeldes tinham o profissionalismo dos soldados alemães, somado à selvagem coragem dos irlandeses, o que lhes deu uma vantagem inicial no campo de batalha. Porém, à medida que o tempo passava, os números superiores das tropas reais começaram a pesar e, após três horas de luta, os rebeldes foram cercados e derrotados. Lincoln foi morto em combate juntamente com os líderes das forças alemãs e irlandesas e cerca de 4 mil homens (Henrique perdeu uns 3 mil combatentes). Francis Lovell fugiu. Lambert Simnel foi capturado e posto para trabalhar nas cozinhas reais.

Seis anos depois, Henrique VII confrontou um grupo de nobres irlandeses com o antigo rei deles no palácio real. Henrique fez com que Simnel servisse o vinho. Conta-se que o soberano declarou aos lordes irlandeses: "Da próxima vez, vocês vão coroar macacos".

WARBECK: O PRETENDENTE FRANCÊS

No outono de 1491, um jovem extremamente atraente vindo da França desembarcou no porto irlandês de Cork.

Retrato de Perkin Warbeck, *desenho, artista da escola francesa*

Nascido na França, chamava-se Perkin Warbeck, tinha 17 anos e era aprendiz no ofício de tecelagem, trabalhando para um comerciante de tecidos bretão. Warbeck era admirado quando passeava pela cidade vestido com os melhores tecidos de seu mestre, e não passou muito tempo antes que os rumores começassem a se espalhar. Poderia o atraente estrangeiro ser Ricardo de York, filho mais novo de Eduardo IV, um dos príncipes aprisionados na Torre de Londres que todos supunham morto?

Hoje em dia, muitos historiadores acreditam que Perkin Warbeck foi uma invenção deliberada de conspiradores iorquistas. No entanto, qualquer que fosse a origem da farsa, ela logo assumiu uma curiosa materialidade. O rei Carlos VIII da França acolheu Warbeck em sua corte e, no verão de 1492, cerca de 100 iorquistas viajaram para se juntar a ele em Paris. Dois anos depois, o recém-eleito titular do Sacro Império Romano-Germânico, Maximiliano, também reconheceu o jovem como Ricardo IV. Paralelamente, na Inglaterra, o apoio ao impostor estava crescendo com rapidez.

Henrique tomou medidas drásticas para esmagar a rebelião no nascedouro, confiscando as terras de vários dos nobres que se opunham a ele. O principal dentre os aristocratas desleais era *sir* William Stanley, tio postiço do rei, que ocupava o posto de camareiro da casa real. Henrique ordenou a execução de Stanley, mas deve ter se sentido ferido e abalado por essa traição.

Em julho de 1495, Warbeck tentou um desembarque em Deal, em Kent. Seu plano era conseguir apoio e em seguida marchar sobre Londres, mas seu pequeno exército foi desbaratado antes mesmo que o líder pudesse desembarcar. Forçado a retirar-se, Warbeck navegou para a Irlanda, onde sitiou sem sucesso a cidade real de Waterford, antes de seguir para a Escócia. Os escoceses eram antigos inimigos dos ingleses, e ali finalmente Warbeck recebeu boas-vindas. Não se sabe se o rei James IV da Escócia, de 22 anos, acreditou verdadeiramente nas reivindicações de Warbeck, mas chegou a oferecer ao impostor a mão de sua prima em casamento e se propôs a ajudar Warbeck a organizar sua invasão da Inglaterra; em setembro de 1496, os dois lançaram um ataque conjunto contra as fronteiras inglesas.

A invasão degenerou rapidamente numa brutal cavalgada ao longo da fronteira. Nenhum apoio público a "Ricardo" se materializou em Northumberland, e as tropas escocesas aproveitaram a oportunidade para se lançar num frenesi de pilhagens, incêndios e mortes. Esse vergonhoso episódio marcou o fim das boas relações entre o monarca escocês e Perkin Warbeck.

Em julho de 1497, Warbeck navegou para a Irlanda. Ao desembarcar em Cork, descobriu que havia perdido seus partidários ali e logo compreendeu que devia partir. Seguiu então para a Cornualha, onde recentemente houvera uma rebelião contra os impostos do rei Henrique. Com a esperança de capitalizar o descontentamento da população local, Warbeck ousadamente prometeu que, tão logo fosse coroado rei, poria um fim a todos os tributos extorsivos. Ele foi declarado "Ricardo IV" em Bodmin Moor. Com uma força de cerca de 3 mil homens, Warbeck marchou contra Exeter e Taunton, mas seu exército foi repelido nos dois locais. Enquanto isso, Henrique ordenou um ataque contra os rebeldes da Cornualha. Quando Warbeck foi informado de que os batedores do rei estavam em Glastonbury, entrou em pânico e fugiu em busca de santuário, desertando de seu exército. Na abadia de Beaulieu, em Hampshire, Warbeck entregou-se à mercê do rei, fazendo uma completa confissão de sua tentativa de personificar um príncipe real.

A reação de Henrique VII à confissão de Warbeck foi surpreendentemente moderada. Por ser estrangeiro, o jovem impostor não podia ser acusado de traição, mas ainda assim ele havia representando uma séria ameaça para o rei. Apesar de tudo isso, Henrique permitiu que Warbeck e sua mulher permanecessem na corte, uma situação que se estendeu até que ele fez uma desajeitada tentativa de recuperar a liberdade. Em junho de 1498, Warbeck foi humilhado publicamente e em seguida aprisionado na Torre de Londres, numa cela vizinha à do conde de Warwick.

Poucos meses depois, um informante anônimo relatou que os dois jovens haviam concebido um plano audacioso para incendiar a Torre, escapar para Flandres e entronizar Warwick. Warbeck e Warwick foram levados a julgamento. Em 23 de novembro, o autoproclamado rei Ricardo IV foi levado pelas ruas numa carroça aberta à prisão de Tyburn, tradicional local de execução dos criminosos comuns, e enforcado diante de uma multidão zombeteira. "Tal foi o fim", disse Francis Bacon, "desse pequeno basilisco que se imaginou rei."

Seis dias depois, Eduardo, o conde de Warwick, foi decapitado em Tower Hill. Sugeriu-se que Warbeck e Warwick jamais chegaram realmente a conspirar juntos e que os rumores sobre a sua colaboração foram na verdade plantados por agentes de Henrique.

EDMUND, CONDE DE SUFFOLK: O ÚLTIMO PRETENDENTE

Se Henrique chegou a imaginar que a morte do conde de Warwick poria um fim nas pretensões iorquistas, logo ficou desapontado. Edmund de la Pole, conde de Suffolk, assumiu o papel de principal pretendente à Coroa. Ele era irmão do conde de Lincoln, que havia morrido na Batalha de Stoke Field, e nutria um forte ressentimento contra o rei desde que este o proibira de herdar o ducado de seu pai, morto em 1491. Em 1501, Suffolk fugiu com seu irmão Ricardo para a corte do imperador Maximiliano I, e um grupo de nobres começou a se reunir em torno deles em Flandres.

Após 15 anos no trono, Henrique encarava novamente a perspectiva de um levante iorquista, e dessa vez ele agiu mais implacavelmente do que antes. Os parentes de Suffolk que permaneceram na Inglaterra foram aprisionados e 51 homens tiveram as terras confiscadas. Em 1506, Henrique negociou com o duque de Borgonha o retorno de Suffolk à Inglaterra, sob a condição de que ele não seria levado à morte. Henrique cumpriu sua palavra e poupou a vida de Suffolk, mas o conde passou o resto de seus dias na Torre, sendo executado em 1513 por ordem de Henrique VIII.

O rei encarava outros problemas, além do desafio dos pretendentes. Ele estava rodeado por senhores rurais poderosos, que haviam se acostumado a exercer enorme influência sobre o monarca. Para a dinastia sobreviver, Henrique sabia que tinha de mudar o equilíbrio de poder. Isso significava reduzir o poder dos barões. Ele gradualmente reduziu os efetivos da nobreza inglesa ao limitar drasticamente o número de novos lordes que criou, e poucas vezes elevou um aristocrata a um nível de nobreza mais alto. Foram impostos novos limites ao tamanho dos exércitos particulares. Além disso, Henrique manteve uma cuidadosa vigilância sobre os casamentos dos súditos proeminentes, exercendo a prerrogativa, como seu senhor feudal, de vetar qualquer aliança que ameaçasse criar uma base de poder extremamente influente.

Desde os primeiros dias de reinado, Henrique tinha usado seu direito real de confiscar terras como um meio de punir a deslealdade. Além disso, todo nobre potencialmente rebelde precisava pagar uma taxa substancial à Coroa como penhor de seu bom comportamento. Henrique começou a modificar o caráter do Conselho Real, um corpo que sempre estivera dominado pelos grandes lordes do país. Apenas os nobres que se mostraram eficientes mantiveram seus lugares, e um novo tipo de administrador foi introduzido, cooptado das fileiras da pequena e média nobreza e das classes profissionais. Eram com frequência advogados (homens como Reginald Bray e Edmund Dudley) que sentiam orgulho em desempenhar seus deveres reais com grande eficiência.

UMA CABEÇA ASTUTA PARA OS NEGÓCIOS

A imagem de Henrique VII que subsistiu, no entanto, é a de um rei sovina. Com efeito, acredita-se que o verso *The king was in his counting house, counting out his money* (O rei estava na câmara de contas, contando o seu dinheiro), na tradicional canção de ninar *Sing a song of six pence*, se refira a Henrique Tudor e a seu acúmulo obsessivo de riqueza para a Coroa. A verdade é que ele teve um envolvimento ativo na tarefa de coletar tributos.

A preocupação prioritária com a estabilidade financeira da monarquia tinha raízes na urgente necessidade de encher os cofres reais após um longo período de guerra. Henrique via simplesmente como boa administração doméstica a exigência da devolução de todas as terras pertencentes à Coroa e o restabelecimento de todos os direitos e impostos legais que seus predecessores haviam permitido cair em desuso. Ele fez questão também de ganhar algum controle pessoal sobre suas finanças, desenvolvendo a câmara privada – uma organização menor e mais ágil dentro da instituição maior do Tesouro. Sob o olhar vigilante do rei, o rendimento das terras da Coroa foi maximizado.

Poucos súditos estavam isentos de suas exigências fiscais, à medida que os agentes reais abriam caminho metodicamente em meio a um emaranhado de antigas leis e direitos, fechando brechas e cobrando obrigações não pagas. Antigos encargos feudais recaíram sobre a nobreza e o clero, enquanto os comerciantes tiveram de pagar substanciais direitos alfandegários sobre mercadorias importadas, como a lã, o couro, os tecidos e o vinho.

Um corpo de funcionários civis leais e eficientes fazia funcionar a máquina de fazer dinheiro de Henrique. Como todo bom homem de negócios, o rei mantinha um olhar vigilante sobre seus funcionários, comparecendo pessoalmente às reuniões, sempre pronto a despedir quem deixasse de corresponder a seus padrões exigentes.

No final de seu reinado, Henrique não havia simplesmente enchido os cofres reais. Ele havia montado uma máquina real bem lubrificada que deixou para seus descendentes. É desnecessário dizer que tal eficiência implacável não lhe valeu o amor de seu povo.

UM REI GANANCIOSO?

O cronista dos Tudors, Polydore Vergil, escreveu que nos anos finais do reinado de Henrique "as pessoas estavam sofrendo não por causa dos próprios pecados, mas da ganância de seu monarca". Teria Henrique realmente sangrado seus súditos até a última gota? Os historiadores da atualidade julgam eficientes muitas das medidas do rei para obter dinheiro, mas não extorsivas. Existem, porém, muitas evidências de que as exigências financeiras de Henrique ficaram cada vez mais rapaces à medida que seu reinado prosseguia. Os historiadores criticam, em especial, a aplicação de enormes multas e garantias financeiras exigidas por Henrique e seus excessivos tributos alfandegários.

"CRUÉIS ENCARGOS": O POVO SE REBELA

As exigências de dinheiro de Henrique não passaram sem oposição. Em 1489, o Parlamento lhe garantiu o direito de levantar 100 mil libras para sua planejada guerra contra a França. O dinheiro devia ser obtido de um novo modo, por meio de um imposto geral sobre a renda, e isso causou um ressentimento generalizado entre os súditos. Em abril de 1489, sob a liderança do conde de Egremont, um bando de rebeldes nortistas sublevou-se contra o rei. O levante foi esmagado pelo conde de Surrey, leal partidário da Coroa, mas o monarca não conseguiu coletar mais impostos para sua guerra.

Rei Henrique VII, *óleo sobre painel, anônimo, c. 1590-1620, Galeria Nacional de Retratos, Londres*

HENRIQUE TUDOR: UMA VISÃO DA ÉPOCA

A melhor descrição de Henrique VII feita em sua época foi fornecida pelo historiador italiano Polydore Vergil, que chegou à Inglaterra em 1502. Sua pena traça o retrato do rei em sua última década de vida.

"*Seu corpo era delgado mas bem-feito e forte; a altura, acima da média. A aparência era notavelmente atraente e o rosto, animado, especialmente quando falava; os olhos eram pequenos e azuis, os dentes poucos, em mau estado e escurecidos; o cabelo era fino e branco; a tez, pálida. Seu espírito era distinto, sábio e prudente; a mente era brava e resoluta e nunca, nem mesmo nos momentos de maior perigo, o abandonava. (...) Ele era gracioso e gentil e tão atencioso com os visitantes quanto era de fácil acesso. (...) Mas aqueles entre seus súditos que estavam em dívida com ele e não lhe prestavam as honras devidas ou eram generosos apenas em promessas, ele tratava com severidade. Ele sabia bem como manter sua real majestade em todas as ocasiões e lugares*". Polydore Vergil (c. 1470-1555), *Anglica Historia* (História da Inglaterra)

Polydore Vergil foi um dos mais importantes cronistas da era Tudor

Polydore Vergil, litogravura, artista da escola inglesa, livro Crabb's historical dictionary, 1825

Em 1497, Henrique defrontou-se com uma segunda rebelião – dessa vez no extremo oposto do reino. O Parlamento havia garantido um tributo para financiar a resposta militar inglesa a uma ameaça de invasão escocesa (liderada por Perkin Warbeck), mas a população da Cornualha recusou-se a pagar por uma guerra tão longe de sua terra. Um exército rebelde partiu de Bodmin para marchar contra Londres. Os rebeldes acamparam em Blackheath, em Kent, poucas milhas ao sul da capital, onde foram recebidos pelo exército real. Na batalha que então se travou, cerca de mil rebeldes foram mortos e três de seus líderes, presos e, mais tarde, executados. Juntamente com o levante em Yorkshire, a rebelião na Cornualha serviu de nítido aviso para Henrique VII.

OLHANDO PARA FORA: COMÉRCIO E EXPLORAÇÃO

Henrique não se dedicou apenas a acumular riquezas para os cofres reais. Ele tomou também astutas providências para estimular o comércio inglês. Nas palavras de Francis Bacon, "sua mente sábia e econômica não podia suportar ver o comércio estagnado". O rei trabalhou duro para reverter o declínio no comércio inglês que ocorrera durante a Guerra das Rosas. Naqueles tempos conturbados, os cautelosos comerciantes ingleses haviam desenvolvido o hábito de recorrer a embarcações estrangeiras para transportar suas mercadorias, em vez de investir em navios de sua propriedade. Um perigo para a indústria naval e a segurança do comércio. O Ato de Navegação de 1485-1486 proibiu os comerciantes de carregar suas mercadorias em navio estrangeiro se um barco inglês estivesse disponível. Em 1489 foi aprovada outra lei que proibia os compradores estrangeiros de adquirir lã inglesa antes que os mercadores ingleses tivessem comprado o que necessitavam.

Henrique estabeleceu também bons acordos comerciais com a Borgonha e a Espanha, embora tenha tido menos sucesso com os comerciantes do Báltico. No final de seu reinado, a Inglaterra era ainda uma nação comercial de importância secundária em comparação com a Itália, Flandres ou Espanha, mas o rei havia lançado as fundações sobre as quais seus sucessores poderiam construir.

Talvez por ter passado tanto tempo de sua juventude junto ao mar, Henrique tinha paixão por explorações. Somente Fernando e Isabel da Espanha ultrapassavam o rei inglês no entusiasmo pela descoberta de novas terras, e não surpreende que o navegante italiano Cristóvão Colombo tivesse se aproximado do soberano inglês com o seu projeto de descobrir uma nova rota para o Oriente.

Aparentemente, Henrique ficou interessado pelas ideias de Colombo, mas os planos foram rejeitados pelo Conselho Real, que julgou que o italiano subestimava as distâncias envolvidas.

A descoberta de Colombo em 1492 mudaria o equilíbrio de poder na Europa, pois a Espanha tornou-se extremamente rica com a exploração do Novo Mundo. Henrique deve ter lastimado amargamente a decisão de seu Conselho Real.

O movimento seguinte coube a João Caboto, um capitão italiano que chegou à Inglaterra em 1495 e no ano seguinte se aproximou de Henrique VII com um plano. A meta de Caboto era velejar para oeste em busca de novas terras, seguindo uma rota mais setentrional que a de Colombo. O rei respondeu fornecendo-lhe um cauteloso adiantamento de 50 libras e autorizando-o a "navegar por todas as partes, regiões e costas do mar oriental, ocidental e setentrional". Um tempo tempestuoso tornou a expedição um desastre, mas em sua segunda viagem, em 1497, Caboto avistou terra, e a

A DOENÇA DO SUOR

A virulenta moléstia conhecida como *sweating sickness* (doença do suor) alastrou-se pela Inglaterra durante o período Tudor, matando dezenas de milhares de pessoas, especialmente em Londres, Oxford e Cambridge. A primeira epidemia ocorreu em 1485, justamente quando Henrique Tudor estava reivindicando o trono, e o último surto veio em 1551, após o qual a enfermidade parece ter desaparecido.

A doença se manifestava repentinamente, com calafrios, tontura, dor de cabeça e fortes dores no pescoço e nos ombros. Esse estágio era seguido por suores quentes, pulsação acelerada e sede intensa. O estágio final consistia em exaustão, colapso e numa irresistível necessidade de dormir. A morte frequentemente ocorria horas após a manifestação dos primeiros sintomas, e as pessoas contavam histórias de amigos que estavam "alegres na hora do almoço e mortos na hora do jantar".

Os historiadores não conseguiram identificar a natureza exata da doença do suor, mas era provavelmente uma forma de febre tifoide. As péssimas condições de higiene dos centros urbanos da era Tudor certamente contribuíram para a rápida difusão. O suprimento de água na Inglaterra era com frequência poluído, a rede de esgotos praticamente inexistia e os núcleos urbanos, superpovoados e malcheirosos – sobretudo no verão –, não passavam de um amontoado de barracos. As ruas estavam cobertas de lixo, despejo de penicos e dejetos de cavalos, cachorros e galinhas. Ratos, pulgas e camundongos se multiplicavam por toda parte e os piolhos infestavam as camas, as roupas e o cabelo das pessoas.

O rei Henrique VIII, que tinha um medo mortal da doença do suor, chegou a inventar a própria "cura real" feita de uma mistura de ervas e vinho, que ele oferecia a todos os amigos e conhecidos.

bandeira de Henrique VII foi plantada na Terra Nova (Canadá). Em 1498, ele partiu novamente da Inglaterra, mas sua frota se perdeu em circunstâncias até hoje inexplicadas. As explorações foram continuadas por seu filho Sebastião.

Em 1509, com as bênçãos do rei Henrique, Sebastião Caboto navegou para o litoral norte da América em busca de uma suposta passagem de noroeste para a Ásia. O curso de Caboto o fez deixar para trás a extremidade meridional da Groenlândia, cruzar o estreito de Davis e penetrar por uma abertura estreita até uma vasta área de água (a baía de Hudson, no Canadá). Nesse ponto, blocos de gelo flutuante forçaram-no a recuar, mas Caboto convenceu-se de que encontrara uma nova rota para o Oriente e navegou de volta à Inglaterra levando a notícia. No entanto, quando ele chegou ao país, seu real mestre estava morto. O rei Henrique VIII não herdou o interesse do pai pelas viagens de exploração, e coube a Elizabeth I dar continuidade à paixão do avô.

Artur, príncipe de Gales, *óleo sobre painel*, artista da escola britânica, c. 1520, Hampton Court Palace, Londres

AMIGOS ESTRANGEIROS, INIMIGOS ESTRANGEIROS

"Ele era muito afortunado na guerra, embora seu ânimo fosse mais inclinado para a paz." Com essas poucas palavras, Polydore Vergil resumiu adequadamente a política externa de Henrique VII. Numa época em que os monarcas estavam sempre prontos a entrar em combate, Henrique foi notavelmente moderado no uso de seu exército como instrumento de política externa, baseando-se em vez disso na diplomacia para fazer da Inglaterra um ator significativo no xadrez europeu. No momento de sua morte, em 1509, a Inglaterra era amplamente respeitada e Henrique havia garantido a proteção do país contra uma invasão por meio da assinatura de tratados com os inimigos tradicionais da Inglaterra – a França e a Escócia.

Contudo, essa situação se complicou em 1487, quando irromperam as hostilidades entre a França e a Bretanha. Henrique devia lealdade pessoal ao duque da Bretanha, que fora seu protetor durante os anos de exílio, mas não pretendia antagonizar a França. De início, o monarca inglês buscou um compromisso, enviando mensagens conciliadoras a Carlos VIII da França, enquanto mandava uma pequena força para a Bretanha. Mas, quando a França anexou o ducado, Henrique percebeu que estava em posição perigosa. Não querendo travar uma guerra que quase certamente terminaria em derrota, ele decidiu-se em vez disso por um hábil blefe e, ousadamente, afirmou seus direitos à Coroa francesa. Essa reivindicação ambiciosa foi seguida por ações: em outubro de 1492, um exército inglês atravessou o canal da Mancha e começou a sitiar o porto de Boulogne.

À primeira vista, a invasão da França por Henrique parecia uma bravata arriscada. Na verdade, porém, tratava-se de uma jogada política perfeitamente calculada. Henrique sabia que Carlos VIII estava concentrando todos os esforços numa grande campanha na Itália. No final, o sítio durou apenas nove dias antes que o rei Carlos propusesse negociações aos ingleses. Em 3 de novembro, foi assinado o Tratado de Étaples. Carlos VIII ofereceu pagar os custos da invasão inglesa se Henrique VII retirasse a reivindicação ao trono e suas tropas. O rei francês prometeu também não apoiar uma invasão da Inglaterra por Warbeck, enquanto Henrique concordou em não intervir em favor da Bretanha. A independência do ducado fora sacrificada, mas Henrique emergiu com honra de uma situação aparentemente insolúvel. As relações entre a Inglaterra e a França permaneceram cordiais pelo resto de seu reinado.

Talvez o maior triunfo diplomático do reinado de Henrique VII tenha sido a aliança com a Espanha. Ainda em 1488, ele sugeriu um casamento entre seu filho mais velho, o príncipe Artur, que tinha então 1 ano de idade, e Catarina de Aragão, de 2 anos, filha mais nova de Fernando de Aragão e Isabel de Castela. Essa sondagem amistosa preparou terreno, em 1489, para a assinatura do Tratado de Medina del Campo pelas duas potências, pelo qual se comprometiam a não invadir uma à outra ou a estabelecer uma aliança com a França. Então, em 1492, ocorreram dois eventos que transformaram a Espanha numa superpotência. O reino foi unificado sob o governo conjunto de Fernando e Isabel, e Colombo alcançou as Índias Ocidentais, reivindicando o território para a Espanha. O recém-formado reino da Espanha acumulou rapidamente enormes riquezas. Por algum tempo, os governantes espanhóis hesitaram enquanto a Coroa de Henrique parecia em risco de cair nas mãos de algum pretendente, mas em 1501 o casamento entre Artur e Catarina se realizou na catedral de Saint Paul, em Londres. Essa união representou um dos pontos altos do reinado de Henrique, e o monarca de 44 anos deve ter criado a expectativa de um futuro mais pacífico e mais próspero para o país, com a Inglaterra tendo um papel no crescente império espanhol no Novo Mundo.

HENRIQUE TUDOR, O HOMEM

Registros da época revelam que Henrique Tudor era um leitor voraz, que adquiriu muitos livros impressos e manuscritos, construiu uma biblioteca em seu palácio em Richmond e agiu como generoso patrono de poetas.

Músicos eram bem-vindos à residência real, e Henrique encorajou os filhos a tocar e a apreciar música. Além de ser um expert no jogo da diplomacia, ele era um hábil jogador de cartas, dados e

EXIGÊNCIAS REAIS

Quando o rei Henrique VII, já viúvo, pensou em casar-se com a rainha de Nápoles, deparou-se com um sério problema: ele não fazia ideia de como sua noiva em perspectiva era realmente. Ele decidiu enviar um embaixador para vê-la de perto. A lista de pontos levantados por Henrique para serem investigados é um material de leitura fascinante. Além de fornecer informações sobre a altura da dama e sua aparência geral, o infeliz embaixador recebeu ordem de informar seu rei sobre o comprimento do pescoço dela e as dimensões de seus seios, braços e pés. Henrique estava ansioso também para saber se a rainha tinha mau hálito e se havia qualquer vestígio de bigode.

xadrez, e também gostava de tênis e de caçar. Fora de sua câmara de contas, o rei parece ter sido um chefe de família satisfeito, devotado à mulher e aos filhos e com um saudável apetite pela vida, apreciando os jogos de maio – festas de danças e pantomimas para celebrar a primavera –, a representação de peças e as danças *morris* (*moorish dances*, danças mouriscas). Para um homem com reputação de sovina, ele era capaz de gestos surpreendentes de extravagância, tendo certa vez pago 13 libras por um leopardo para a real coleção de animais.

Em termos de religião, Henrique parece ter sido convencional. Ele tinha particular devoção pela Virgem Maria. Em seu testamento, requisitou que fossem celebradas mil missas por sua alma. Fez construir a magnífica Lady Chapel, na abadia de Westminster, para abrigar o seu túmulo.

Por ocasião do casamento do príncipe Artur, em 1501, Henrique e Elizabeth tinham quatro filhos vivos. O príncipe Edmund morrera no ano anterior, aos 2 anos, mas o casal real ainda tinha dois filhos saudáveis – Artur, de 16 anos, e Henrique, de 10 – e duas filhas: Margaret, de 12 anos, e Mary, de 2. No dia do casamento do príncipe Artur, o rei Henrique deve ter olhado com orgulho enquanto o jovem príncipe Henrique escoltava a princesa espanhola até o altar da catedral de Saint Paul, entregando a jovem noiva a seu estudioso e sisudo irmão mais velho.

As celebrações do casamento estenderam-se por mais de uma semana, antes de os recém-casados partirem para seu novo lar, o castelo de Ludlow, na fronteira galesa. Ali Artur assumiu seus deveres como príncipe de Gales, mas em cinco meses a tragédia os atingiu. Tanto Catarina quanto Artur contraíram a mortífera doença do suor, mas, enquanto a vigorosa Catarina sobreviveu, seu esposo, mais delicado, morreu.

Henrique e Elizabeth ficaram devastados com a morte do amado primogênito. Sem contar a tristeza pessoal de ambos, havia também uma ansiedade muito real sobre o futuro da dinastia. Em uma época em que a morte podia golpear repentinamente, o casal real passou a ter um único herdeiro do sexo masculino. A rainha Elizabeth gentilmente lembrou seu marido de que eles ainda eram jovens o suficiente para ter mais filhos (ela estava com 35 anos e Henrique, com 44), e em poucos meses Elizabeth ficou grávida novamente.

Em 2 de fevereiro de 1503, Elizabeth deu à luz uma menina, Catarina, mas poucos dias após o parto a rainha caiu seriamente enferma. Elizabeth morreu no dia de seu aniversário, 11 de fevereiro, e a princesinha, poucos dias depois. Henrique ficou arrasado. Depois de ter dado ordens detalhadas para o funeral, "retirou-se para um lugar solitário, onde ninguém teria acesso a ele".

O FIM DE UM REINADO

O ano 1503 deve ter sido um período sombrio para Henrique Tudor. No verão, ele escoltou a filha Margaret à Escócia para se casar com o rei James IV e voltou para casa, onde o esperavam apenas dois filhos: Henrique e Mary.

Sem a companhia da mulher e do primogênito, as finanças reais transformaram-se sua principal obsessão. Outra preocupação era um eventual casamento. Após a morte da rainha, o monarca de 46 anos tornara-se automaticamente um dos solteiros mais disputados da Europa. Havia consideráveis vantagens políticas a ganhar por meio da união certa, sem mencionar a

Elizabeth e Henrique VII, *ilustração*, livro Memoirs of the court of queen Elizabeth, c. 1825

oportunidade de gerar mais herdeiros para o trono. Com uma pressa um tanto indecorosa, ele começou a olhar em torno.

A primeira candidata a um novo casamento de Henrique foi a viúva de seu filho, Catarina de Aragão, que permanecera na Inglaterra após a morte do marido. No entanto, essa sugestão foi rapidamente vetada pelos pais de Catarina, cuja reação – ao que parece – foi motivada em larga medida pelo medo de que Henrique Tudor pudesse morrer, deixando a filha deles isolada num país estrangeiro e com muito pouco poder. Em vez disso, os governantes espanhóis favoreceram um contrato de casamento entre Catarina e o príncipe Henrique, e isso teve a devida concordância do rei. Em seguida, Henrique VII dirigiu as atenções para Joana, rainha de Nápoles, mas no final a rejeitou por não ser suficientemente rica para ser sua noiva. Uma terceira alternativa surgiu na pessoa da rainha Joana de Castela, viúva de Filipe, duque da Borgonha, que se tornara o rei Filipe I de Castela. No entanto, ela mostrou ser mentalmente instável. Na verdade, a busca de Henrique estava destinada ao fracasso.

Depois que o rei chegou aos 50 anos, sua saúde começou a decair. Na primavera de 1509, ele ficou doente e no dia 21 de abril morreu, aos 52 anos, em seu palácio de Richmond, não muito longe de Londres. Poucas pessoas lastimaram a morte do velho monarca. Apesar de ter sido um dos mais capazes soberanos da Inglaterra, Henrique VII jamais conquistou o coração dos súditos. *Sir* Thomas More expressou os sentimentos de seus conterrâneos: "Este dia é o do término de nossa escravidão, a fonte de nossa liberdade, o fim da tristeza".

Mas, graças aos esforços do pai, o jovem rei Henrique VIII herdou um reino próspero, pacífico e bem administrado, tendo mais dinheiro em seus cofres do que qualquer outro governante na Europa. A dinastia Tudor havia verdadeiramente atingido a maioridade.

PROMESSAS DE GRANDEZA

O JOVEM HENRIQUE VIII E A PRIMEIRA PARTE DE SEU REINADO, QUE SE INICIOU REPLETO DE ESPERANÇAS, AO LADO DE CATARINA, E TERMINOU EM CLIMA SOMBRIO, COM ANA BOLENA POR PERTO

Todos reconhecem a imagem popular do rei Henrique VIII. Parecendo mais um ogro do que um homem, ele está de pé, com as pernas separadas, os braços abertos e as mãos na cintura, olhando desafiadoramente para o mundo. Ele é o tirano que se casou seis vezes, que ousou desafiar o papa, que mandou centenas de súditos para a morte, entre os quais dois ex-ministros e duas de suas esposas. Mas existe outro Henrique. O jovem coroado rei em 1509, quatro dias antes de completar 18 anos, foi amplamente reconhecido como o príncipe mais promissor que um dia ascendeu ao trono inglês.

Alto, esguio, de aparência agradável e atlético, era um erudito capaz e um músico habilidoso que também gostava dos bailes, das justas e das caçadas. Um cronista entusiasmado afirmou que "a natureza não poderia ter feito mais por ele. É muito mais atraente que o rei da França, muito claro e tem o corpo admiravelmente proporcionado".

Além do mais, Henrique era devoto em suas práticas religiosas e dedicado à nova esposa. Então, como um príncipe tão promissor se transformou no monstro de seus últimos anos? Para compreendermos o caráter do rei Henrique VIII, devemos buscar pistas em sua infância.

O SEGUNDO MELHOR?

O príncipe Henrique nasceu em 28 de junho de 1491, no palácio real de Greenwich. Na qualidade de terceiro filho do rei Henrique VII, ele recebeu as boas-vindas ao mundo com muito menos pompa e cerimônia do que os irmãos mais velhos. Cinco anos antes, a chegada do príncipe Artur fora encenada pelo rei como uma impressionante peça de propaganda Tudor: tanto o nascimento quanto o batismo ocorreram na antiga cidade de Winchester, num esforço deliberado para ligar a dinastia Tudor ao lendário rei Artur. O nascimento da princesa Margaret, em 1489, também havia sido um evento público, tendo ocorrido apenas um dia antes da investidura de Artur como príncipe de Gales. A princesa foi levada em triunfo para o palácio de Westminster.

Na primeira metade de seu reinado, Henrique VIII era um monarca carismático, com vitórias no campo diplomático

Henrique VIII, óleo sobre painel, *anónimo, c. 1520, Galeria Nacional de Retratos, Londres*

O "Campo de Pano de Ouro", em Calais, local de encontro dos reis da França e da Inglaterra

Campo do Pano de Ouro, óleo sobre tela, anônimo, Hampton Court Palace, c. 1545

Em contraste, o nascimento de Henrique teve pouca repercussão, tendo ocorrido em uma das muitas residências secundárias do rei. O batismo foi realizado na Igreja dos Frades, perto do palácio de Greenwich, e passou quase despercebido aos cronistas.

Como segundo filho homem do rei, Henrique recebeu uma criação muito diferente daquela do irmão mais velho. Foi destinado a Artur um berçário exclusivo, enquanto Henrique compartilhou a creche real com a irmã mais velha, Margaret. Conforme as práticas usuais da época, uma ama de leite foi responsável por sua amamentação nos primeiros dois anos, e ele recebeu também os cuidados de dois "balançadores", cujos deveres incluíam balançar o seu berço e se encarregar da roupa de cama. Em julho de 1492, uma terceira criança real – a princesa Elizabeth – juntou-se a Margaret e Henrique.

Por ser o único menino na creche real, Henrique provavelmente recebeu um tratamento especial. O príncipe foi lançado na cena pública em 1494, devido a uma perturbadora ameaça ao trono de seu pai. Três anos antes, o impostor Perkin Warbeck havia feito a ultrajante afirmação de que ele era o duque de York, o mais novo dos príncipes aprisionados na Torre de Londres por Ricardo III. Quando o falso pretendente obteve o apoio de poderosas figuras na Europa, Henrique VII decidiu reagir. Para

se contrapor à reivindicação de Warbeck, o rei resolveu criar um genuíno duque de York na pessoa de seu segundo filho. O monarca encenaria uma cerimônia que proclamaria o poder dos Tudors por toda a Europa – e a estrela do espetáculo seria o príncipe Henrique.

TORNANDO-SE CAVALEIRO

A grande ocasião ocorreu em novembro de 1494, quando Henrique tinha apenas 3 anos e quatro meses. Começou com um cortejo de lordes cavalgando da Fleet Street até Westminster por uma série de ruas cheias com multidões delirantes. E à frente da parada – para espanto de todos – seguia o jovem príncipe, montando sem ajuda um cavalo de guerra.

Em Westminster, realizou-se um grandioso banquete no qual o príncipe Henrique desempenhou o papel de escudeiro do rei. Seguiu-se a tradicional cerimônia da cavalaria. Na companhia de 22 outros aspirantes à dignidade de cavaleiro, Henrique recebeu inicialmente um banho ritual e, em seguida, foi vestido com uma túnica de eremita antes de ser conduzido em solene procissão a uma capela. Ali ele teve de guardar vigília até as primeiras horas do dia, antes de obter permissão para dormir umas poucas horas em preparação para a investidura como cavaleiro pela manhã.

O clímax veio no dia seguinte, quando Henrique foi nomeado duque de York no palácio de Westminster diante de todos os grandes nobres do reino. Como observou o historiador David Starkey, ele deve ter ficado emocionado ao pensar que era agora um cavaleiro, exatamente como os heróis de suas histórias de aventuras.

A escolarização de Henrique começou cedo. Quando ele tinha apenas 4 anos e meio, o pai pagou por "um livro comprado para meu lorde York". Evidentemente, ele sabia ler e escrever desde muito cedo e, quando tinha 6 anos, foi julgado crescido o suficiente para iniciar um aprendizado sério. John Skelton, o tutor pessoal de Henrique, era um poeta habilidoso, especialista em gramática latina e versado em literatura clássica. Anos mais tarde, a habilidade de Henrique de escrever em latim e sua capacidade para compor versos seriam parcialmente atribuídas a seu primeiro professor.

Por ocasião do nono aniversário de Henrique, haviam ocorrido diversas mudanças na creche real. Em 1495, a irmã Elizabeth morreu, aos 3 anos. Henrique tinha então 4 anos – era crescido o suficiente para sentir falta da irmãzinha e perceber a desolação dos pais (Henrique e Elizabeth gastaram uma pequena fortuna no funeral da amada filha). No ano seguinte, a rainha deu à luz outra filha, Mary, e, quando Henrique tinha 7 anos, nasceu o príncipe Edmund. No entanto, ele morreu antes do segundo aniversário, deixando Henrique rodeado de irmãs.

Chegou até nossos dias uma vívida descrição do príncipe Henrique e de seus irmãos. Em 1499, o erudito holandês Desiderius Erasmus – conhecido como Erasmo de Roterdã – acompanhou o autor e estadista *sir* Thomas More ao palácio real de Eltham. "Ali", escreveu Erasmo, "todas as crianças reais estão sendo educadas, com a única exceção de Artur, o filho mais velho. Em meio a elas destacava-se Henrique, de 9 anos, já com certo comportamento real; quero dizer com isso uma dignidade da mente combinada a uma notável cortesia. À sua direita estava Margaret, com cerca de 11 anos. À esquerda, Mary, uma menina de 4 anos, brincava. Edmund era um bebê de colo." Confrontado com esse grupo real, *sir* Thomas More adiantou-se e presenteou Henrique com um texto, mas Erasmo havia chegado de mãos vazias. Essa omissão foi percebida por Henrique, e, quando os dois eruditos estavam jantando com a família real, o príncipe enviou uma nota a Erasmo solicitando "o presente de algum escrito de sua pena". Erasmo ficou impressionado com o pedido e em poucos dias produziu uma pequena coleção de poemas endereçados ao príncipe.

UM CASAMENTO E UM FUNERAL

Enquanto Henrique e as irmãs cresciam juntos, seu irmão mais velho, Artur, tinha uma vida muito diferente. Na qualidade de herdeiro real, ele sempre foi conservado à parte do restante da ninhada e, aos 6 anos, foi enviado para o castelo de Ludlow, na fronteira do País de Gales. Em Ludlow, o menino príncipe de Gales iniciou um sério treinamento para o ofício de rei, presidindo seu próprio Conselho Real, exatamente como o pai fazia em Londres. Deve ter sido uma vida solitária para um garoto, mas, à diferença de seu efervescente irmão mais novo, Artur era quieto e estudioso e levava as responsabilidades reais muito a sério.

Aos 3 anos, o príncipe Artur foi prometido em casamento à princesa espanhola Catarina de Aragão, e quando ele fez 13 anos, os dois foram casados por procuração, com o embaixador espanhol representando a princesa adolescente. Após essa cerimônia, Artur e Catarina se corresponderam em latim durante dois anos, até que foi decidido que ele já tinha idade suficiente para se casar em pessoa.

Quando finalmente se encontraram, eles descobriram, para tristeza mútua, que não conseguiam se compreender, pois cada um havia aprendido uma pronúncia diferente do latim. Contudo, Artur relatou aos pais que estava imensamente feliz em "contemplar a face de sua encantadora noiva". Dez dias depois, em 14 de novembro de 1501, o casal real celebrou as núpcias na catedral de Saint Paul. Esse casamento marcou o ponto alto da trajetória de Artur como príncipe, mas seu irmão de 10 anos roubou o espetáculo. O príncipe Henrique teve a honra de conduzir a noiva até o altar, com todos os olhares sobre eles. Mais tarde, na festa de casamento, Henrique desafiou as convenções ao tirar a jaqueta e dançar energicamente usando apenas calças e camisa.

Após as celebrações, Artur retornou a Ludlow com a jovem esposa, mas cinco meses depois estava morto. Henrique não tinha ainda 11 anos quando assumiu a posição do irmão mais velho como herdeiro aparente do trono.

HENRIQUE, PRÍNCIPE DE GALES

Após a morte do irmão, Henrique recebeu o título de príncipe de Gales, mas não houve cerimônia formal de coroação e ele não foi enviado a Ludlow. Em vez disso, o menino continuou a viver tranquilamente com as irmãs, avançando para o estágio seguinte em sua educação. John Skelton havia sido substituído por John Holt, um mestre-escola profissional, e quando Holt morreu, outro mestre-escola, William Hone, assumiu o lugar. Henrique teve um intensivo programa de estudos, adquirindo um conhecimento aprofundado dos textos clássicos, de história e teologia. O príncipe teve aulas de línguas modernas, particularmente de francês, e estudou música, tornando-se um intérprete e cantor habilidoso. A instrução física não foi esquecida: Henrique dispunha dos serviços do próprio mestre de armas para treiná-lo nas justas e nas artes da guerra. Com o tempo ele tornou-se um excelente desportista, apreciando a caça e a equitação e tendo ótimo desempenho na luta corpo a corpo, no tiro de arco e no tênis.

APRENDENDO A SER REI

Nos primeiros anos após a morte de Artur, Henrique deve ter se sentido no limbo. Provavelmente seu pai estava demasiado distraído pela tristeza da perda do querido primogênito para ter tempo a gastar com ele. Mas então outra tragédia golpeou a família: a rainha Elizabeth morreu pouco depois de ter dado à luz em fevereiro de 1503. Essa segunda perda devastou o rei, mas também o levou a focar sua atenção em seu herdeiro. Em janeiro de 1504, foi realizada uma cerimônia solene para reconhecer Henrique como príncipe de Gales. Poucas semanas depois, o príncipe, aos 14 anos, deixou as irmãs para viver com o pai e estudar o ofício de ser rei em primeira mão. Durante os cinco anos seguintes, até a morte de Henrique VII, o príncipe Henrique viveu à sombra do pai. Ele foi instalado num quarto vizinho ao do rei que só podia ser alcançado através do aposento deste.

Quando um embaixador espanhol visitou a corte inglesa, relatou horrorizado que o príncipe Henrique era totalmente dominado pelo pai e pela avó, falando exclusivamente com eles nas ocasiões públicas. Deve ter sido uma época desesperadamente difícil para Henrique.

HENRIQUE, O MÚSICO

A reputação de Henrique VIII como músico talentoso tinha fundamento. Ainda que provavelmente ele não seja o autor da famosa canção "Greensleeves", de fato compôs pelo menos duas missas em cinco partes, um moteto e grande número de peças instrumentais e canções, entre as quais "Pastime with good company" (Passatempo em boa companhia). Cantor e músico habilidoso, Henrique podia ler facilmente à primeira vista a notação musical e tocava com habilidade alaúde, clavicórdio e flauta. Ao longo de todo o seu reinado, ele foi um generoso patrono para os músicos.

O príncipe adolescente deve ter sentido muita falta da companhia das irmãs e dos companheiros de desportos. A famosa austeridade de seu pai tornava-se cada vez mais evidenciada, e o jovem Henrique deve ter absorvido uma atmosfera de ressentimento geral. Ele também se envolveu em amargas maquinações de casamento.

A noiva óbvia para ele era Catarina de Aragão, que ficara sozinha na Inglaterra após a morte de Artur. O rei Henrique estava claramente pouco disposto a abrir mão de tal presa, e, em 1503 foi assinado um tratado de casamento. No entanto, havia dificuldades a superar, pois tinha de ser obtida a permissão do papa para uma união com a viúva de um irmão morto. Em julho de 1504, o papa indicou sua disposição de garantir uma dispensa, e uma pequena cerimônia particular tornou o casal formalmente noivo. Contudo, as formalidades mal haviam terminado quando chegou a notícia de que a mãe de Catarina morrera. Com a morte da rainha Isabel de Castela, a herança de Catarina foi reduzida drasticamente, tornando o casamento do príncipe muito menos atrativo financeiramente para Henrique VII. Pouco antes de completar 14 anos, Henrique seguiu as ordens do pai e repudiou o noivado.

Enquanto isso, Catarina era conservada no escuro, permanecendo convencida de que ainda estava prometida ao príncipe Henrique. Dois anos depois do noivado com o príncipe, Henrique VII cortou a pensão de Catarina e sugeriu que ela vivesse na corte como medida de economia. O resultado foi uma total humilhação para Catarina e um enorme embaraço para o príncipe Henrique. Sua esposa em potencial estava vivendo desconfortavelmente perto dele, mas raras vezes tinha permissão para vê-lo. Como Catarina se queixou amargamente do futuro sogro, "ele me vê como comprometida e seu filho como alguém livre".

O longo período de Henrique como monarca em compasso de espera chegou ao fim em abril de 1509, com a morte de seu pai. Como o costume exigia, o príncipe permaneceu na Torre de Londres até depois do funeral, mas uma de suas primeiras ações logo depois de enterrado Henrique VII foi foi desposar Catarina de Aragão.

As razões subjacentes ao casamento são difíceis de esquadrinhar. Tinha ele um sentimento de obrigação para com a jovem a quem por tanto tempo fora prometido em casamento? Estava emulando o irmão mais velho ao se casar com a viúva de Artur? Ou talvez estivesse genuinamente apaixonado? Quaisquer que fossem os motivos, Henrique e Catarina casaram-se numa discreta cerimônia em Greenwich. Foi o primeiro passo dos preparativos para a espetacular coroação de Henrique e sua rainha, que se realizaria na abadia de Westminster, em 24 de junho.

Criança, provavelmente Henrique VIII, sorrindo, terracota, Guido Mazzoni, c. 1498

HENRIQUE, O REI

Na manhã da coroação, Henrique e Catarina dirigiram-se à abadia sob um dossel de tapeçarias ricamente bordadas. Após um serviço solene que durou várias horas, o rei e a rainha retiraram-se para um banquete que se estendeu até o cair da noite. Os dias seguintes foram preenchidos com torneios de justas, danças, espetáculos e concertos. Henrique começara seu reinado em estilo. Desde o início, ficou claro que o jovem rei não seguiria o estilo contido do pai.

Decorridos apenas dois dias de sua coroação, Henrique ordenou a prisão de dois dos odiados ministros de Henrique VII, *sir* Richard Empson e Edmund Dudley. Ambos foram julgados por traição e executados, depois de extraída deles uma confissão. Nos primeiros meses de reinado, Henrique reverteu muitas das obrigações financeiras que o pai havia imposto à nobreza – uma medida muito bem recebida, que lhe valeu o apoio da aristocracia.

O primeiro Natal e ano-novo do reinado de Henrique foram marcados por outro torneio – e dessa vez o próprio monarca participou, cavalgando incógnito com um elmo fechado, antes de se revelar à multidão deliciada. A rainha Catarina olhava orgulhosa do real pavilhão, já grávida do primeiro filho do rei. Todos tinham a esperança de que logo houvesse um herdeiro para completar a felicidade de Henrique. Catarina deu à luz uma menina no final de janeiro, mas a criança, prematura, nasceu morta. Contudo, uma segunda gravidez mostrou-se mais bem-sucedida, e no dia de ano-novo de 1511 nasceu um filho e herdeiro – para grande alegria do rei Henrique e dos leais súditos. Em Londres, os sinos tocaram, acenderam-se fogueiras e os canhões dispararam repetidas salvas.

O batizado do príncipe recém-nascido foi realizado no domingo seguinte, diante de representantes de todas as grandes casas reais da Europa. Ele recebeu o nome de Henrique, como o pai e o avô. Para o pobo inglês, deve ter parecido que a fortuna estava sorrindo para o novo soberano, mas o principezinho logo ficou doente e morreu. Foi um golpe amargo para o rei de 20 anos. Também marcou o início da ansiedade que se transformaria em obsessão para Henrique: um filho homem.

INDO À GUERRA

Henrique encenara um esplêndido espetáculo público nos primeiros meses de reinado, mas uma questão crucial permanecia: o que exatamente ele faria como rei? A escolha óbvia para ele era ir à guerra. Homem jovem e adestrado nas artes marciais, ele recordava com inveja as grandes campanhas do Príncipe Negro e de Henrique V.

Henrique sonhava em se pôr à prova na batalha como os reis do passado – e estava especialmente ansioso para ajustar as contas com a França, velha inimiga da Inglaterra. Pouco depois de ter se tornado rei, ele fez um pronunciamento público de que logo desfecharia um ataque contra o rei francês Luís XII, e poucas semanas depois insultou deliberadamente um enviado da corte francesa.

Em poucos meses, Henrique havia desfeito toda a boa vontade criada pelas cuidadosas negociações de seu pai. Ainda subsistia, porém, um obstáculo insuperável para a guerra – Henrique não conseguia encontrar um aliado. O jovem monarca se defrontou também com a firme oposição do Conselho Real. A maioria dos membros servira sob Henrique VII e apoiava a política de diplomacia cuidadosa e política externa pacífica do falecido rei. Henrique VIII sem dúvida teria de esperar um momento adequado.

A oportunidade para a guerra surgiu em 1511, quando o papa Júlio II proclamou uma Santa Liga contra a França, mobilizando o auxílio da Espanha e do Sacro Império Romano-Germânico para expulsar os franceses da Itália. Henrique juntou-se à liga e começou a organizar com a Espanha um ataque conjunto anglo-espanhol para a conquista da Aquitânia (um ducado no sudoeste da França que no passado pertencera à Coroa inglesa). O empreendimento resultou em fracasso completo, em boa medida devido à falta de apoio espanhol, mas uma segunda campanha contra a França foi planejada para o ano seguinte. Dessa vez, o rei Fernando da Espanha concordou com uma ofensiva em duas frentes, com as forças espanholas atacando a Aquitânia enquanto Henrique conduzia um assalto à Normandia. No outono de 1512, os preparativos para a guerra estavam em pleno andamento.

Credita-se a Henrique VIII a criação das bases para a futura *Royal Navy* (marinha de guerra), com a expansão da força de luta dos Tudors de apenas cinco para 53 navios. No início da primavera de 1513, um acampamento militar foi estabelecido em Calais, que permanecera sob controle inglês desde a Guerra dos Cem Anos, e em junho o próprio rei Henrique navegou para lá. Durante três semanas, rodeado por um

A Torre de Londres, presente em vários momentos da história dos Tudors, numa representação anterior à chegada da dinastia ao poder

Torre de Londres, ilustração, anônimo, manuscrito Poems; Art d'amour; Les demandes d'amour; Le livre dit grace entiere sur le fait du gouvernement d'un prince, séc. XV, Biblioteca Britânica

vasto séquito na tenda real, ele presidiu o planejamento dos detalhes da campanha, até que no final o exército partiu para travar combate.

Em 16 de agosto, as tropas de Henrique venceram a Batalha das Esporas, em Guinegate, capturando o pequeno núcleo de Thérouanne, e em 24 de setembro conquistaram uma valiosa presa – a cidade de Tournai – após um sítio de oito dias. Henrique retornou da França em triunfo, mas na verdade uma vitória muito mais importante havia sido obtida em seu próprio país. Enquanto Henrique estivera ocupado na França, o rei James IV da Escócia havia aproveitado a oportunidade para lançar um ataque contra a fronteira setentrional da Inglaterra. Em 9 de setembro, os exércitos escocês e inglês confrontaram-se na sangrenta Batalha de Flodden Field. A luta se estendeu por três horas antes que os ingleses levassem a melhor, abatendo muitos nobres escoceses e, finalmente, o próprio rei James.

Com a morte do monarca, a ameaça escocesa desapareceu durante várias décadas. James deixara um filho aos cuidados de sua mulher, Margaret, irmã mais velha de Henrique, mas o novo rei tinha apenas um ano. Henrique VIII não teria mais problemas com a Escócia até os anos finais de seu reinado.

O ENCONTRO DOS REIS

Henrique VIII havia imaginado que sua campanha francesa prosseguiria na primavera seguinte, mas em um ano o complexo jogo da diplomacia europeia avançara. O papa já não estava em guerra contra a França, e o principal conselheiro de Henrique, Thomas Wolsey, o persuadiu de que o mais vantajoso para a Inglaterra seria estabelecer uma nova aliança com a França. Um dos melhores meios de cimentar tal aliança seria pelo casamento, e assim, em outubro de 1514, Mary, a irmã mais moça de Henrique, casou-se com o rei Luís XII da França, que era viúvo.

Da perspectiva de Mary, a união estava longe de ser satisfatória. Luís tinha três vezes a sua idade, era marcado pela varíola e não tinha dentes, enquanto ela era uma das mais belas princesas da Europa. No entanto, Mary não teve de suportar sua presença por muito tempo. Luís morreu 11 semanas após o casamento (pelo que se comentou, esgotado pelos esforços no leito conjugal), sendo sucedido no trono por seu primo e cunhado, Francisco I.

Henrique reconheceu o jovem rei como um rival em potencial. Como ele, Francisco era alto, atlético, ambicioso e tinha apenas 20 anos. Henrique VIII e Francisco I podiam ser ou inimigos muito perigosos ou amigos muito poderosos – e Henrique decidiu estender a mão da amizade.

As negociações avançaram vagarosamente até que se concordou em um encontro de grande significado entre os dois líderes. Como um sinal da seriedade de suas intenções, Henrique prometeu não se barbear até que se encontrassem e Francisco rapidamente prometeu fazer o mesmo. Até quando Henrique deixou de cumprir a promessa, confessando que sua mulher se opusera que ele raspasse a barba, as boas relações não foram prejudicadas. Em vez disso, declarou-se galantemente que o amor entre os dois reis "não residia em suas barbas, mas em seus corações".

O encontro, no local que ficou conhecido como o "Campo do Pano de Ouro" foi uma das ocasiões mais brilhantes na história europeia. Deliberadamente realizado em solo neutro, entre o território inglês de Calais e o reino da França, o acontecimento viu ambas as nações se esforçaram para superar uma à outra em magnificência, construindo vastos pavilhões de tecidos encrustados com fios dourados e joias. Até mesmo o solo estava coberto por tapetes bordados, que faziam dele, literalmente, um campo de tecidos de ouro. Isso era apenas o cenário para o elaborado ritual.

No dia de Corpus Christi, 7 de junho de 1520, um tiro de canhão foi o sinal para ambos os reis avançarem de seus acampamentos. Montados em cavalos de torneio e trazendo a vestimenta completa de cavaleiro, Henrique e Francisco galoparam um na direção do outro, detiveram-se e se beijaram três vezes antes de desmontar. Tornaram a beijar-se e retiraram-se para um pavilhão. Foi o sinal para as festividades começarem. Durante os 18 dias seguintes, o campo representou uma gloriosa arena para uma sucessão de banquetes, concertos, justas e outros entretenimentos.

Os dois monarcas participaram de justas, quebraram lanças um contra o outro e chegaram a lutar e a dançar. Houve um momento embaraçoso na competição de luta, quando Francisco lançou Henrique ao chão, mas o inglês recuperou a dignidade ao vencer no arco e flecha. Finalmente, em 24 de junho, as festividades chegaram ao fim. Foi oferecido um banquete de despedida, e os dois monarcas juraram construir uma capela dedicada à paz no lugar em que se encontraram.

Foi o encontro no Campo do Pano de Ouro simplesmente uma gigantesca loucura, ou teve algum efeito duradouro? O evento certamente acrescentou lustre às reputações de Henrique e Francisco. Talvez tenha ajudado também a evitar conflitos por alguns anos, embora na década de 1520 os dois monarcas estivessem fazendo ameaças belicosas. Uma coisa, porém, é certa: Os 18 dias de entretenimento espetacular foram ruinosamente dispendiosos – e Henrique estava rapidamente ficando sem dinheiro.

HENRIQUE E O CARDEAL

O gênio articulador por trás do Campo do Pano de Ouro foi Thomas Wolsey. Filho de um açougueiro de Ipswich, ele fora um destacado secretário de um dos conselheiros de Henrique VII e foi escolhido pelo novo rei para ser seu capelão. Wolsey rapidamente conquistou a confiança de Henrique VIII e ascendeu para se tornar lorde chanceler em 1515. Ao mesmo tempo, estava galgando as fileiras da Igreja. Em 1514, tornou-se arcebispo de York. No ano seguinte, o papa Leão X o nomeou cardeal.

Em Wolsey, Henrique descobriu um homem de grande inteligência, julgamento claro e enorme capacidade de trabalho. O rei deve ter reconhecido também uma confiança e uma ambição equivalentes às suas.

Em muito pouco tempo, Henrique fez de Wolsey seu braço-direito, conferindo-lhe enormes responsabilidades e recompensando-o generosamente. Durante 20 anos, Wolsey gerou uma corrente incessante de documentos e cartas a serem lidos e assinados pelo rei, que tinha notoriamente pouca inclinação para escrever.

A mais premente preocupação do cardeal Wolsey era o dinheiro. Enquanto Henrique VII tinha acumulado riquezas, seu filho as desbaratava. O primeiro rei Tudor deixara 1.250 milhão de libras nos cofres reais (cerca de 375 bilhões atualmente), mas a cada ano centenas de libras eram gastas nas vestimentas do monarca, na alimentação de sua corte e no pagamento de serviçais, e milhares em seus palácios, cujo número aumentou de uma dúzia para 55 durante o reinado de Henrique VIII.

A guerra era especialmente dispendiosa e, segundo estimativas, as campanhas de Henrique na França em 1513 custaram cerca de 600 mil libras. Uma das maiores realizações de Wolsey consistiu em revolucionar o sistema de tributação inglês, de modo que os impostos foram baseados na avaliação da riqueza do contribuinte. Essa forma de taxação mais eficiente ajudou a obter recursos para as expedições do rei no exterior, mas ainda não era o suficiente. À medida que o reinado de Henrique avançava, a necessidade de dinheiro tornava-se a força propulsora de suas políticas.

A preocupação com as finanças reais não impediu o próprio Wolsey de gastar dinheiro – sobretudo, com sua eterna paixão pelas construções. Ele criou para si mesmo uma espetacular casa de campo em Hampton Court e fundou o Cardinal College (hoje conhecido como Christ Church), em Oxford. Depois que Wolsey caiu em desgraça, em 1529, por se opor à tentativa de Henrique de se divorciar da rainha, suas propriedades passaram para o rei e Hampton Court tornou-se a residência real favorita.

Ao longo de todo o reinado, Henrique se apoiaria em poucos conselheiros de con-

Retrato do Cardeal Wolsey, óleo sobre painel, Sampson Strong, 1526, Faculdade Christ Church, Oxford, Inglaterra

fiança para ajudá-lo a tomar todas as decisões. Era lisonjeiro e excitante ao extremo estar tão perto do rei, mas tal poder tinha um preço terrível – como Wolsey descobriria quando ousou intervir na vida amorosa de Henrique.

A MULHER PERFEITA?

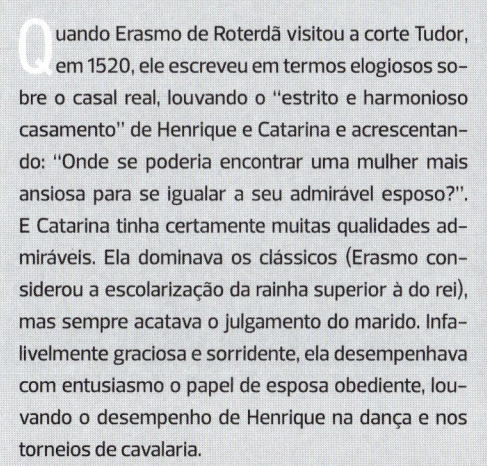

Provável retrato de Catarina aos 11 anos, óleo sobre painel, Juan de Flandres, c. 1496

Quando Erasmo de Roterdã visitou a corte Tudor, em 1520, ele escreveu em termos elogiosos sobre o casal real, louvando o "estrito e harmonioso casamento" de Henrique e Catarina e acrescentando: "Onde se poderia encontrar uma mulher mais ansiosa para se igualar a seu admirável esposo?". E Catarina tinha certamente muitas qualidades admiráveis. Ela dominava os clássicos (Erasmo considerou a escolarização da rainha superior à do rei), mas sempre acatava o julgamento do marido. Infalivelmente graciosa e sorridente, ela desempenhava com entusiasmo o papel de esposa obediente, louvando o desempenho de Henrique na dança e nos torneios de cavalaria.

Em seu tempo livre, Catarina se ocupava fazendo e bordando camisas para o marido e, quando o rei estava em guerra no exterior, ela se preocupava com sua saúde e segurança. Quando Henrique partiu para a guerra em 1513, a rainha Catarina assumiu o papel de regente, lidando tranquilamente com uma invasão escocesa. Ela chegou a pronunciar um discurso arrebatador para os capitães ingleses, instigando-os a lembrar que "a coragem inglesa excede a de todas as outras nações".

SIR CORAÇÃO LEAL?

O casamento de Henrique Tudor e Catarina de Aragão durou 24 anos (de 1509 a 1533). Quando recém-casado, Henrique usava as iniciais de Catarina na sua manga nas justas, chamava a si mesmo de "*Sir Loyal Heart*" (*Sir* Coração Leal) e fazia à mulher requintados cumprimentos. Mesmo casado por cinco anos, o rei ainda se mostrava ansioso para voltar à Inglaterra após suas vitórias na França para presentear a esposa com as chaves das cidades capturadas.

Em 1514, porém, surgiram evidências de que a atenção do rei havia começado a se dispersar. Durante as comemorações do ano-novo, uma jovem encantadora chamada Elizabeth Blount atraiu os olhares de Henrique, e em 1519 ela lhe deu um filho.

O menino – chamado Henrique Fitzroy – foi criado na corte como um príncipe real, de acordo com os costumes da época. Por volta de 1521, Henrique ficou envolvido romanticamente com Mary Bolena, uma dama de companhia da corte, mas o caso parecia ter terminado em 1525. Aventuras românticas fora do real leito conjugal eram bastante comuns no tempo de Henrique e dizia-se que até mesmo seu virtuoso pai havia gerado um filho ilegítimo. No caso de Henrique VIII, porém, existia um problema adicional. À medida que o tempo passava, parecia que Catarina estava destinada a fracassar em seu mais importante dever como esposa: dar um filho ao marido.

Em 1525, Henrique estava casado com Catarina havia 16 anos. Aos 34, ele ainda se encontrava em plena forma, ao passo que Catarina, então com 40 anos, havia se tornado uma matrona corpulenta de meia-idade. Não é surpreendente que ela tivesse perdido as formas, pois estivera grávida boa parte da vida de casada. Estima-se que Catarina tenha concebido dez vezes, mas apenas uma criança – a princesa Mary – sobreviveu. Todas as outras gravidezes terminaram em tragédia: ou ela sofreu um aborto, ou deu à luz um bebê natimorto, ou teve um filho que morreu em poucas semanas.

O nascimento de uma filha saudável em 1516 elevou as expectativas de Henrique sobre um futuro herdeiro homem, mas pouco a pouco ele compreendeu que suas esperanças eram vãs. Em 1518, aos 33 anos, Catarina teve a última gravidez registrada, que resultou em outra criança natimorta. Quando a rainha tinha 40 anos, Ana Bolena – irmã da antiga amante de Henrique, Mary – entrou nessa complicada situação.

Ana nasceu numa importante família aristocrática com íntimas conexões com a Coroa inglesa. O pai foi diplomata de Henrique VII e ela fora educada nos Países Baixos, antes de servir como dama de honra – primeiro junto à arquiduquesa Margaret da Áustria, governante dos Países Baixos, e depois à rainha Cláudia da França.

Enquanto estava na corte francesa, Ana estudou teologia e tornou-se uma dedicada seguidora da moda. A jovem mulher que chegou à corte inglesa com cerca de 20 anos (a data exata de seu nascimento não é conhecida) tinha boa educação, cultura e consciência política pouco habituais. Era uma dançarina talentosa e ágil e espirituosa na conversação. Ainda que a maioria das pessoas concordasse que Ana não era uma beleza clássica, ela era imensamente atraente, com a espessa cabeleira escura, pescoço longo e elegante e olhos tão escuros que eram quase negros. Em suma: possuía um enorme poder de sedução, que havia aprendido a usar.

O interesse de Henrique VIII por Ana Bolena floresceu na primavera de 1526. Na época, Ana estava brincando também com as atenções do poeta e cortesão *sir* Thomas Wyatt. A rivalidade entre os dois homens deve ter contribuído para inflamar a paixão de Henrique, pois o rei tornou-se cada vez mais determinado a ganhar os favores dela. Diante de um insistente galanteador real, Ana retrocedeu, rechaçando todas as tentativas de fazer dela a sua amante. É difícil dizer se Ana resistiu às exigências de Henrique por genuíno medo das consequências ou como meio de seduzi-lo ainda mais. Quaisquer que fossem os motivos, o monarca estava definitivamente enredado. E, quando reconheceu a extensão de seu poder, Ana jogou a carta mais arriscada. Henrique a amava o suficiente para fazer dela a sua rainha?

O senso de oportunidade de Ana era perfeito. Quando ela e Henrique VIII se conheceram, o rei já se perguntava se a falta de herdeiros era na verdade uma punição de Deus. Uma passagem do Antigo Testamento proibia um homem de se casar com a viúva do irmão sob o risco de ambos serem amaldiçoados. Nesse período, Henrique retornava a essa passagem obsessivamente. Em 1504, o papa Júlio II havia lhe concedido uma dispensa especial para desposar Catarina, mas seria realmente válida? Poderia Henrique usar uma passagem bíblica como desculpa para terminar a união com a mulher? O rei decidiu que tentaria por todos os meios persuadir o papa a lhe conceder uma anulação. Então, ele estaria livre para se casar com Ana.

Em 1527, Henrique iniciou a campanha para persuadir o papa da justiça de sua causa. Isso o colocou na trajetória da total ruptura com Roma – mas o rompimento ainda estava a vários anos no futuro.

O FIM DE UMA ERA

Em 1527, os dias de glória do início do reinado de Henrique haviam terminado. Seus problemas financeiros se agravavam. Ele estava à beira de terminar o casamento com uma rainha amplamente admirada e se apaixonara por uma mulher jovem, inconstante e bastante ambiciosa. Aos 36 anos, o rei ainda se mostrava ativo e vigoroso, já não era o herói esbelto e atlético que havia ascendido ao trono – e ainda não tinha um filho e herdeiro. Henrique talvez tenha se perguntado o que o futuro lhe reservava.

RIVAIS NO AMOR

O neto de *sir* Thomas Wyatt relatou uma história sobre a rivalidade entre *sir* Thomas e Henrique VIII pela atenção de Ana Bolena. Wyatt estava flertando com ela, quando, brincando, pegou na bolsa da jovem um pequeno porta-retrato em forma de joia. Mais ou menos na mesma época, Henrique pegara um dos brincos de Ana para usar no dedo mindinho. Poucos dias depois, Henrique estava jogando *bowls* (espécie de bocha) com um grupo de nobres e surgiu uma controvérsia entre ele e Wyatt acerca de uma jogada. Apontando o dedo em que usava o brinco da dama, Henrique sorriu e disse: "Eu lhe digo que é minha". Não querendo levar a pior, Wyatt pegou o pendente: "Primeiro dê-me licença para medi-la", disse ele, antes de usar a joia para medir a distância entre a bola e o bolim. A história terminou com Henrique se afastando em largas passadas, murmurando iradamente que fora enganado.

Retrato de *sir* Thomas Wyatt, *desenho, Hans Holbein, o Jovem, c. 1535-1537, castelo de Windsor, Londres*

IV

AGITAÇÃO E TIRANIA

OS ÚLTIMOS 15 ANOS DO REINADO DE HENRIQUE VIII FORAM MARCADOS POR CASAMENTOS TUMULTUOSOS, O ROMPIMENTO COM A IGREJA CATÓLICA E CONVULSÕES SOCIAIS DIVERSAS

A segunda metade do reinado de Henrique VIII foi um período tumultuado. Em apenas 15 anos, o rei casou-se cinco vezes, libertou-se do controle do papa, confiscou a riqueza dos mosteiros ingleses, condenou diversos súditos à morte e enfrentou levantes internos e invasões externas. Em 1527, a tempestade ainda não tinha chegado, mas já se podia divisá-la no horizonte. Henrique ainda estava casado com Catarina de Aragão, mas só pensava em livrar-se dela para poder fazer de Ana Bolena a sua rainha.

Henrique estava desesperado para que a Igreja anulasse seu casamento, mas parecia que tudo se voltava contra ele. Em 1527, o papa Clemente VII fora aprisionado pelo sobrinho de Catarina, Carlos, V, e, naturalmente, relutava em se aliar a Henrique VIII. O monarca inglês tornou-se perigosamente impaciente, culpando o cardeal Wolsey pelo atraso e até acusando-o de planejar exilar a sua futura esposa.

Em 1529, encorajado por Ana Bolena, o rei exonerou Wolsey, que lhe prestara serviços por quase duas décadas. No ano seguinte, o cardeal seria preso, acusado de alta traição, e morreria no cárcere antes de ser julgado.

Seu lugar foi ocupado por *sir* Thomas More, eminente advogado e acadêmico, além de amigo e confidente do rei. Henrique VIII acreditava que podia contar com o apoio de More, e inicialmente o novo chanceler abraçou sua causa, defendendo a opinião legal de que o casamento de Henrique VIII e Catarina havia sido ilegítimo. No entanto, à medida que Henrique persistia em seu desafio ao papa, More se preocupava mais.

Em 1531, Henrique VIII havia rejeitado Catarina abertamente, expulsando-a dos aposentos reais e até privando-a da companhia da filha, Mary. O lugar de Catarina logo foi ocupado por Ana Bolena, que permanentemente trançava teias na corte para ganhar mais poder. Quando o velho arcebispo de Canterbury morreu, Ana convenceu o rei a pôr em seu lugar Thomas Cranmer, o capelão da família Bolena. Ela deu apoio também a um jovem e esperto advogado chamado Thomas Cromwell.

Rei Henrique VIII, *óleo sobre painel*, cópia de original de Hans Holbein, o Jovem, c. 1560

Em 1532, Cromwell propôs uma lei ao Parlamento reivindicando a supremacia da coroa sobre a Igreja inglesa. Foi um lance ousado, visando dar ao monarca o poder necessário para desafiar o papa, e a gota d'água para Thomas More. Horrorizado pelo insulto aberto à autoridade papal, More renunciou à chancelaria, abrindo espaço para Cromwell se tornar primeiro-ministro. Henrique VIII agora estava em rota de colisão com Roma.

SIR THOMAS MORE 1478-1535

Sir Thomas More foi advogado, teólogo, filósofo e estadista e uma das figuras proeminentes da era Tudor. Além de ter um papel central no governo real, foi o autor de *Uma história do rei Ricardo III* e várias obras sobre teologia. Seu escrito mais famoso, *Utopia*, é lido até hoje e traz um relato fictício de uma sociedade perfeita em que toda a terra é propriedade comum, a propriedade privada não existe, homens e mulheres são educados igualmente e há tolerância religiosa quase absoluta.

Grande humanista, More estava profundamente envolvido no renascimento do saber clássico, mas era também um católico devoto que lançou ataques ferozes contra Lutero e punia hereges com a morte. A lealdade inabalável de More ao papa o levou a um embate com o rei. Em 1534, foi chamado a fazer o juramento de supremacia de Henrique VIII e, quando se negou, foi aprisionado na Torre de Londres. Três meses depois, seria executado por traição.

More, autor de *Utopia*, foi uma das figuras mais destacadas da era Tudor

Retrato de *sir Thomas More*, *óleo sobre carvalho*, Hans Holbein, o Jovem, 1527

Em meados de janeiro de 1533, Ana Bolena descobriu que estava grávida, o que tornou a situação mais urgente. No dia 25 do mesmo mês, Henrique VIII e Ana se casaram em segredo. Em 28 de maio, o arcebispo Cranmer decidiu que o casamento com Catarina era inválido. Em 1º de junho, Ana foi coroada rainha consorte. Oito anos depois de ter chamado atenção do rei, ela finalmente atingia seu objetivo: era rainha da Inglaterra e estava esperando o filho do rei. Enquanto isso, Henrique VIII aguardava a reação do papa.

A resposta de Clemente VII foi dura: condenou com severidade o casamento de Henrique VIII com Ana e ordenou que o rei desobediente tomasse de volta a esposa anterior, sob pena de excomunhão. A ameaça objetivava submetê-lo rapidamente, mas o rei inglês se manteve firme. Ele estava decidido a fazer de Ana sua rainha legalmente, mesmo que para isso tivesse de romper com Roma. Em novembro de 1534, o Parlamento inglês aprovou o Ato de Supremacia, com sua retumbante declaração de que o rei era "o único chefe supremo na terra da Igreja da Inglaterra". A Igreja inglesa nunca mais responderia ao papa.

O rei Henrique VIII sempre foi citado como uma figura central no movimento protestante, mas ele mesmo nunca se viu como tal. Como um jovem rei, era um católico devoto, rezando para relíquias e se juntando a peregrinações; em 1521, escreveu uma "Defesa dos sete sacramentos", em apoio à autoridade do papa e tachando de heréticas as afirmações de Lutero.

A RAINHA ANA

O tão aguardado matrimônio não prosperou. Após a coroação de Ana, o charme que antes atraíra o rei começara a empalidecer. O que antes parecia uma vivacidade encantadora agora parecia desobediência obstinada, enquanto era muito comum o bom humor da rainha se degenerar em acessos de fúria. Ana fez muitos inimigos na corte e não conseguiu ganhar o coração do povo inglês, devotado a Catarina. O maior dos testes, porém, era conseguir dar um herdeiro ao marido.

Todos estavam confiantes de que a rainha daria à luz um menino – os astrólogos o previram, assim como os médicos – e foram feitos preparativos para um magnífico torneio que daria as boas-vindas ao príncipe infante. Ana, porém, teve uma menina. Em 7 de setembro de 1533, a princesa Elizabeth nasceu. Henrique cancelou o torneio e caiu em depressão profunda.

Foi o início do fim para Ana. Contemporâneos relatavam muita "frieza e resmungos" entre marido e mulher depois disso. Em 1534, Ana engravidou novamente, mas o bebê nasceu morto. Enquanto isso, Henrique se interessava por outra jovem da corte – a agradavelmente quieta e reservada Jane Seymour.

No outono de 1535, Ana concebeu pela terceira vez. Sem a certeza da afeição do marido, ela deve ter sentido que tudo dependia de sua capacidade de dar-lhe um filho – mas a sorte estava contra ela. No final de janeiro, Henrique VIII caiu de seu cavalo e ficou inconsciente por horas, causando um grande temor por sua vida. Esse evento preocupante foi seguido por um segundo desastre em uma semana, quando Ana teve um aborto espontâneo, provavelmente induzido pela preocupação com o rei.

A rainha ficou histérica de tristeza – principalmente porque o bebê que perdera era um menino –, enquanto o marido experimentava uma fúria contida. Sua esposa realmente era uma feiticeira, ele dizia, e havia usado de propósito seus encantamentos malignos para atraí-lo para o casamento.

O FIM DE ANA

Henrique VIII substituíra uma esposa indesejada antes e agora planejava fazer o mesmo. Com uma pressa algo indecente, ele levou Jane Seymour para novos aposentos próximos dos seus, enquanto o irmão dela,

Thomas, recebeu a prestigiosa Ordem da Jarreteira (ele se recusara a honrar Jorge, o irmão de Ana). Após muitos anos como a amante favorita do rei, Ana se viu na posição de esposa injustiçada, e se recusou a aceitar pacientemente seu destino.

Todos os protestos de Ana foram, entretanto, infrutíferos. Quando Cromwell se convenceu de que ela deveria ser descartada, colocou a máquina legal em funcionamento. Em 1º de maio de 1536, cinco homens, incluindo Jorge Bolena, foram presos por traição e acusados de terem mantido relações sexuais com a rainha. No dia seguinte, a própria Ana foi presa na Torre de Londres.

A questão da bruxaria foi suscitada em seu julgamento, mas não foi incluída na lista final de acusações contra ela. Na época, o temor de bruxaria era crescente, o que levou à promulgação do Ato contra Conjuração, Bruxaria e Pactos com o Mal, de Henrique VIII, em 1542.

Os prisioneiros foram julgados por adultério, incesto e alta traição e, apesar da notável falta de provas, todos foram considerados culpados e condenados à morte. No início da manhã de 19 de maio de 1536, Ana foi levada à execução. Em um discurso final, aceitou o destino sem reclamar pediu a Deus: "Salve o rei e lhe permita reinar sobre vós por bastante tempo, pois nunca houve príncipe mais gentil ou misericordioso: e para mim ele sempre foi um soberano bom e gentil". Foi um final gracioso para uma vida turbulenta.

A GENTIL JANE

Um dia após a execução da rainha Ana Bolena, Henrique VIII ficou noivo de Jane Seymour. Dez dias depois, eles se casaram discretamente na capela de uma das casas reais em Londres. Com notável rapidez, o rei iniciou a seu terceiro casamento.

Jane Seymour veio de um ambiente social bem similar ao de Ana Bolena. Ela pertencia a uma família nobre, mas, ao contrário da antecessora, não fora educada. Para alívio do rei, a nova esposa não tinha interesse por política, preferindo gerenciar a casa e bordar, no que era muito boa. Também em termos de aparência, a segunda e a terceira esposas de Henrique VIII eram diametralmente opostas: enquanto Ana tinha cabelo escuro e era impetuosa, Jane, pálida, loira e gentil. Com a rainha Jane, a corte real se tornou um lugar mais calmo, ainda que mais maçante, regido por um estrito senso de decoro. Era o fim das modas extravagantes introduzidas por Ana e, em seu lugar, havia regras estritas de vestuário na corte – até quanto ao número de pérolas na saia de uma dama. Católica devota, Jane simpatizava com Mary, filha de Henrique VIII. Ela era bem-vinda na corte, e a rainha encorajava o marido a ser gentil com sua filha mais velha.

A rainha Jane também desempenhou o papel essencial de engravidar. A confirmação veio em junho de 1537 e, em 12 de outubro, ela deu à luz o tão aguardado filho e herdeiro. Henrique não estava com a rainha no momento do parto, mas se apressou a voltar alegremente para Hampton Court. Exultante, ele entrou em uma rodada de comemorações e, em 15 de outubro, uma grande cerimônia de batismo foi celebrada para o infante príncipe Eduardo.

Logo depois, no entanto, o clima na corte ficou pesado, quando veio a notícia de que a rainha estava doente. Ela desenvolveu septicemia, um tipo de envenenamento do sangue que era a maior causa de mortalidade materna na era Tudor. Sem um tratamento eficaz contra a infecção, não havia esperanças para a rainha, e ela morreu 12 dias após o nascimento do filho.

Jane foi enterrada na capela de São Jorge, no castelo de Windsor – a única das seis esposas de Henrique a receber um funeral de rainha. Quando ele morreu, dez anos depois, foi enterrado na tumba real, ao lado dela.

Henrique VIII prometeu atender às reivindicações dos "peregrinos", mas não cumpriria o acordo

O começo da Peregrinação da Graça, óleo sobre tela, Andrew Benjamin Donaldson, Galeria Usher, Lincoln, Inglaterra

A abadia de Whitby foi um dos mosteiros destruídos por Henrique VIII

HENRIQUE E OS MOSTEIROS

Entre 1536 e 1541, Henrique VIII ordenou a destruição e o saque sistemáticos dos conventos e mosteiros ingleses. Esse expurgo dramático, conhecido como a Dissolução dos Mosteiros, foi motivado em parte por um desejo de reforma – era sabido que os muitos monges e freiras gozavam de um estilo de vida luxuoso, financiado por seus grandes patrimônios. No entanto, a força motriz da dissolução era financeira. Em meados da década de 1530, os cofres reais estavam vazios e as abadias inglesas eram notoriamente ricas, detendo mais de um quinto da riqueza territorial, bem como um fabuloso tesouro, na forma de estátuas, prata e ouro.

LEVANTES CONTRA O REI

Durante o tempo em que esteve casado com Jane, Henrique VIII enfrentou um dos episódios mais assustadores de seu reinado. Em 1536, ele embarcara em sua campanha para dissolver os mosteiros, mirando aqueles que eram notoriamente corruptos. O monarca deve ter imaginado que seus leais súditos não fariam objeção a seus métodos, mas estava errado. Pessoas de todas as classes sentiram que suas tradições religiosas estavam ameaçadas, enquanto a pequena nobreza detentora de terras ficou alarmada com a política de confisco de Henrique VIII, temendo que as próprias posses entrassem na alça de mira do monarca. Por trás dessas reações estava um repúdio aos impostos do rei, a suspeita contra seus ministros – principalmente Thomas Cromwell – e um sentimento de desilusão com suas políticas, particularmente quanto ao tratamento dispensado a Catarina de Aragão. Todos esses fatores contribuíram para um levante no norte chamado Peregrinação da Graça.

Em outubro de 1536, cerca de 9 mil homens se reuniram em York em torno do líder carismático Robert Aske, um senhor de terras e advogado local. O movimento era bem financiado por doações de senhores de terras abastados e clérigos e extremamente organizado. Aske formou um exército disciplinado e teve a inspirada ideia de chamar a rebelião de "peregrinação", garantindo que todos aqueles que se unissem a ela seriam espiritualmente recompensados por seu papel na devolução do rei ao caminho da virtude.

Em 21 de outubro, os peregrinos tomaram o castelo Pontefract. Seus efetivos então aumentaram para 35 mil, tornando-se uma ameaça significativa para o rei. Confrontado por um sério desafio militar, Henrique VIII ordenou ao duque de Norfolk e ao conde de Shrewsbury que rumassem para Pontefract. No entanto, eles conseguiram reunir apenas 8 mil homens. O rei teria grandes chances de colher uma derrota no campo de batalha caso Aske não tivesse favorecido as negociações em vez da força. Habilidoso, Norfolk conseguiu persuadir Aske e os outros líderes de que ele simpatizava com sua causa, e os levou a Londres para negociar com o rei.

No início de 1537, um grupo de líderes peregrinos apresentou 24 artigos para o monarca. Eles continham uma exigência para que Henrique VIII revertesse suas políticas religiosas e punisse Cromwell. Para deleite dos peregrinos, o rei concordou em considerar todas as suas demandas no futuro próximo e garantiu o perdão a todos que haviam se juntado à Peregrinação.

Aske levou as boas-novas aos seus seguidores: Henrique VIII voltaria ao caminho da integridade. O rei, porém, não manteve a palavra. Assim que se certificou de que o movimento havia sido dissolvido, o rei iniciou sua vingança. Um a um, os líderes do movimento foram julgados. A promessa de perdão foi retirada, e eles foram condenados por traição e sentenciados à morte. Mesmo quando Jane intercedeu junto ao marido para que ele os perdoasse, Henrique se manteve inflexível. O corpo de Robert Aske foi pendurado por correntes na muralha do castelo de York como uma vívida advertência a qualquer um que pretendesse se atrever a desafiar o rei. Daquele momento em diante, não houve mais levantes na Inglaterra, mas Henrique VIII perdeu o amor e a confiança de seu povo.

"A ÉGUA DE FLANDRES"

Henrique VIII deve ter ficado entristecido e chocado com a morte da rainha, mas isso não o impediu de procurar imediatamente uma substituta. Como um dos principais monarcas da Europa, estava em condições de promover uma união bastante vantajosa para o país. Em uma era de alta mortalidade infantil, também era oportuno que tivesse o maior número possível de filhos.

Cromwell buscou uma rainha em potencial entre as casas reais da Europa e logo deu início aos complexos procedimentos da diplomacia. Nos dois anos seguintes, ao menos nove candidatas foram consideradas para o papel de quarta esposa de Henrique VIII e cinco posaram para o artista Hans Holbein. Finalmente, no entanto, decidiu-se que uma aliança com um ducado germânico traria as maiores vantagens.

O duque de Cleves governava um Estado rico e de importância estratégica e fora bem-sucedido em manter sua independência enquanto forjava relações fortes com os vizinhos, os príncipes luteranos. Desde o rompimento de Henrique com Roma, a Inglaterra ficou perigosamente isolada, e uma ligação com a Alemanha protestante daria à ilha um pouco da tão necessária segurança.

Coleção particular

Quadro retrata cena imaginária da corte, com Ana Bolena *(ao lado de Henrique VIII, na página ao lado)* e Catarina de Aragão *(de negro)*

A corte de Ana Bolena, *óleo sobre tela, Emanuel Gottlieb Leutze, 1846*

Embaixadores foram enviados para informar sobre Ana de Cleves, e Holbein foi pintar seu retrato. Os relatos de Flandres não eram de todo encorajadores: Ana, com 23 anos, não era muito instruída, apesar de gostar de costurar e jogar cartas. Ela não cantava ou dançava e conversava apenas em alemão. Comentários sobre sua aparência eram evasivos, com os enviados elogiando sua honestidade e modéstia, "que aparecem claramente na gravidade de sua face". O rei talvez tenha examinado cuidadosamente o retrato de Holbein. A mulher no quadro parecia bastante comum e séria, mas, em geral, de aparência agradável. Henrique VIII estava convencido a assinar o contrato de casamento.

No dia de ano-novo de 1540, o navio de Ana de Cleves chegou ao porto de Rochester, e Henrique VIII se apressou para espiar a futura noiva. Ele subiu as escadas até seus aposentos para lhe dar um presente de ano-novo. Ansiara por esse momento havia meses, mas teria uma surpresa desagradável. Ela não era a bela jovem que ele imaginava – e sentiu-se profundamente traído. De volta a Greenwich, deu uma bronca em Cromwell por prendê-lo em uma união indesejável. "Ela não tem a beleza que havia sido relatada", reclamou. "Não gosto dela." O casamento foi adiado por dois dias enquanto o rei tentava fugir de seu contrato, mas não havia escapatória. A Inglaterra não podia ofender a Alemanha, e a cerimônia foi celebrada em 6 de janeiro de 1540.

O quarto casamento do rei nunca foi consumado. Henrique VIII dizia francamente que sua aversão inicial à noiva ficara ainda mais forte na noite de núpcias, reclamando do "caimento de seus seios e frouxidão de sua pele", e, apesar de rei e rainha dormirem juntos com frequência, ele afirmava categoricamente que a esposa ainda era "uma donzela". Alguns meses depois, ele já planejava o divórcio, com base na não consumação e na existência de um contrato de casamento anterior para Ana.

THOMAS CROMWELL C. 1485-1540

Thomas Cromwell foi um filho de ferreiro que ascendeu ao posto mais alto do país. Quando jovem, viajou pela Europa, trabalhando como mercador e soldado e tornando-se fluente em latim, italiano e francês. Por volta de 1512, Cromwell voltou à Inglaterra e estudou Direito, obtendo o prestigioso posto de secretário legal do cardeal Wolsey. Com a queda de Wolsey, Cromwell ganhou a confiança do rei e, em 1532, foi nomeado ministro-chefe de Henrique VIII, posto que ocupou até 1540. Ele teve um papel importante na Reforma inglesa, encorajando o rompimento do monarca com Roma. Administrador brilhante, trabalhou para modernizar o governo inglês, reduzindo os privilégios da nobreza e da Igreja. A derrocada de Cromwell veio quando ele empurrou o rei para um casamento humilhante com Ana de Cleves em nome de uma aliança com a Alemanha protestante. A fúria de Henrique VIII levou à sua prisão sob acusações de traição, e ele foi executado em Tyburn, em 28 de julho de 1540.

Não havia necessidade de recorrer a nenhuma autoridade superior e, no início de julho, o Parlamento declarou nula a união. Ana se mostrou mais que contente em seguir seus planos. Quando lhe solicitaram, ela escreveu uma carta declarando que o casamento não fora consumado, chamando o rei de "irmão" e assinando como "irmã". Ela não mostrou vontade de voltar para casa. Nos sete meses em que ficou na Inglaterra, Ana desenvolveu relações amistosas com ambas as filhas de Henrique (Mary tinha, então, 24 anos, apenas um a mais que Ana). Ela recebeu uma pensão generosa e pôde escolher entre várias boas casas, mas preferia passar seu tempo na corte, aproveitando sua posição como "amada irmã do rei", engordando e exercitando seu gosto pela cerveja inglesa.

MUDANÇAS NA CORTE

Poucas semanas após o casamento com Ana, Henrique VIII percebeu uma jovem nova na corte. Catarina Howard foi nomeada dama de honra de Ana de Cleves no final de 1539. Tinha cerca de 19 anos, era baixa, roliça, vivaz e já experiente na arte da sedução. Ela também era um fantoche de um grupo de cortesãos bastante ambiciosos, liderados por seu tio, Thomas Howard, duque de Norfolk, e Stephen Gardiner, bispo de Winchester. Eles esperavam ganhar mais influência sobre o rei, contrapondo-se, assim, às políticas pró-protestantismo de Cromwell.

Henrique VIII, *aquarela em papel velino*, Lucas Horenbout, c. 1525-1527

Na primavera de 1540, presentes e favores reais começaram a se direcionar para Catarina e seus parentes. Howard e Gardiner rapidamente fizeram uso de seu novo acesso ao rei para derrubar Cromwell, que, em 10 de junho, foi preso e levado à Torre de Londres. Henrique VIII certamente se irritara com a participação de Cromwell em seu casamento com Ana de Cleves e talvez tenha acreditado que ele tivesse planos de tornar a Inglaterra um país inteiramente protestante.

Quando o casamento de Henrique e Ana foi declarado nulo, Norfolk e Gardiner fizeram sua jogada seguinte. Eles lideraram o Conselho Real na súplica ao rei para que "abrisse seu nobre coração ao amor" para assegurar "um pouco mais de frutos e sucessores". Àquela altura, ele estava irremediavelmente apaixonado por Catarina, e ela podia estar grávida, tornando urgente uma união legal. Em 28 de julho, apenas 19 dias após a anulação de seu quarto casamento, Henrique VIII e Catarina se casaram no Palácio de Oatlands, em Surrey. O rei entrava em um período novo e incerto de sua vida.

UMA ROSA SEM ESPINHO?

Henrique VIII estava perdidamente apaixonado por Catarina. Ele a descrevia como sua "rosa corada sem espinho" e a cobria de joias, vestidos, castelos, títulos e mansões. Em retribuição, ela fazia o papel de esposa amorosa e obediente.

Como uma jovem mulher altamente impressionável, Catarina foi dominada pela majestade do rei. O homem real, porém, era menos atraente. Ele tinha 49 anos – velho o bastante para ser seu pai. Ele era também irascível, estava acima do peso e doente. Sua circunferência aumentara demais desde que ele chegara aos 40. Estima-se que ele pesasse cerca de 135 quilos.

No início, o rei fazia grandes esforços para acompanhar a jovem noiva, acordando todos os dias entre cinco e seis da manhã, caçando até as dez e dançando e festejando à noite, mas, na primavera de 1541, sucumbiu à febre causada por úlceras varicosas. Os médicos de Henrique temiam por sua vida. Em sua doença, o rei ficou selvagem, atacando todos à sua volta. Ele começou a suspeitar de traição de seus conselheiros e a expressar arrependimento pela morte do "fiel servo" Cromwell. O veneno do rei foi destilado também contra os súditos, e ele jurou que "os deixaria tão pobres que não teriam coragem nem forças para se opor a ele".

Catarina Howard não tinha estrutura para lidar com os maus humores do marido – ou mesmo para se portar sabiamente na corte. Ainda menina, fora deixada pelos pais aos cuidados da avó postiça, a viúva do segundo conde de Norfolk. Sua educação fora negligenciada, mas ela foi apresentada aos romances ainda jovem. Quando tinha cerca de 15 anos, flertou seriamente com seu professor de música, Henry Mannox. Em suas confissões posteriores, Catarina afirmaria que esse relacionamento não se consumara, mas "sendo uma jovem garota, permiti-lhe diversas vezes manusear e tocar as partes secretas de meu corpo".

Dois anos depois, Catarina Howard teve um segundo e mais sério caso, com Francis Dereham, secretário na casa da duquesa, e eles tornaram-se amantes, chamando um ao outro de "marido" e "mulher". Quando a viúva ficou sabendo do caso, Dereham foi mandado para a Irlanda.

Todas essas experiências deram a Catarina um gosto perigoso pela intriga e o romance – e devem ter inflamado seu desgosto pelos esforços do marido real na cama do casal. Com um ano de casada, começou a buscar satisfação em outros lugares. Na primavera de 1541, ela estava flertando com Thomas Culpepper, um dos cavalheiros dos aposentos privados (um criado pessoal do rei). Ela fora persuadida a encontrar um lugar na corte para o antigo amante, Francis Dereham.

Catarina estava jogando um jogo muito perigoso. No verão de 1541, ela e Culpepper embarcaram em um caso tórrido, debaixo do nariz real de seu marido. Quando o rei e a rainha embarcaram em uma caravana real para York, Culpepper conseguiu entrar furtivamente nos aposentos da rainha em quase todas as paradas, ajudado por *lady* Rochford, a mais velha das damas de companhia da rainha. Henrique VIII ficou alheio ao adultério da rainha, mas os membros do Conselho Real, entretanto, não foram enganados tão facilmente. Eles souberam do relacionamento anterior de Catarina com Dereham e receberam de uma das aias relatos de seu caso. O Conselho resolveu avisar, cuidadosamente, o rei e, no início de novembro, o arcebispo Cranmer entregou um documento ao monarca. Primeiro, o rei o denunciou como um monte de mentiras, mas logo vieram provas, incluindo uma carta de amor a Culpepper na caligrafia distinta da rainha. Henrique VIII não resistiu e caiu em prantos.

Dereham e Culpepper foram enviados à Torre de Londres, onde confessaram tudo antes de serem executados. Catarina foi acusada de traição e perdeu o título de rainha. Em 13 de fevereiro de 1542, foi executada na Torre Green, com sua dama de companhia, *lady* Rochford. Era a segunda esposa de Henrique a perder a cabeça.

AS GUERRAS DE HENRIQUE

Dezesseis meses se passariam até que Henrique se casasse de novo. Nesse tempo, ele encarou desafios sérios de seus velhos inimigos – os franceses e os escoceses.

Desde a primeira campanha na França, Henrique VIII ambicionava ganhar mais territórios naquele país e, em 1542, começou a se preparar para outra campanha. Dessa vez, o imperador Carlos V era seu aliado, mas o arranjo se mostrou frágil desde o início. Apesar de um acordo anterior prevendo que o exército inglês marcharia para Paris, o inglês rumou, em vez disso, para Boulogne-sur-Mer, que sempre desejou. Sob a liderança do duque de Suffolk, os ingleses conseguiram tomar a região em 18 de setembro de 1544, mas essa se mostraria uma vitória isolada. No dia em que o porto se rendeu, Carlos V assinou um tratado de paz com a França. A guerra contra os franceses acabou e as tropas inglesas voltaram para casa. Henrique VIII gastara uma fortuna preparando seu exército, mas não conseguiu muita coisa.

Por outro lado, a tomada de Boulogne teve uma consequência séria: instigou a vingança dos franceses. Notícias de um plano de invasão chegaram a Henrique VIII no inverno de 1544, e ele ordenou que uma série de fortificações fosse construída no litoral sul da Inglaterra. Na prática, a campanha francesa da primavera de 1545 foi um fracasso monstruoso, devido a uma combinação de incompetência e mau tempo. Atrasados pelos ventos contrários, os navios franceses ficaram sem suprimentos antes que pudessem entrar em combate e foram forçados a recuar vergonhosamente. A maior perda do lado inglês foi a muito estimada nau de guerra *Mary Rose*, que foi a pique na baía de Portsmouth enquanto deixava o porto rumo à batalha. Tirando essa perda, os ingleses saíram surpreendentemente ilesos, embora o custo financeiro tenha sido enorme. Henrique VIII havia gastado 2 milhões de libras na campanha francesa – o equivalente a dez anos do orçamento normal do governo.

A relação de Henrique VIII com a Escócia também não impressiona. Em 1541, o rei temia que seu vizinho do norte e a França se unissem para invadir a Inglaterra e convocou o rei escocês para encon-

A capela do King's College é um dos magníficos legados do reinado de Henrique VIII

trá-lo em York. Jaime V era filho de sua irmã Margaret, e Henrique VIII esperava a imediata obediência do sobrinho. Quando Jaime deixou reiteradamente de comparecer, o inglês percebeu que seria necessária uma mostra de força para submeter a Escócia.

Norfolk foi enviado para liderar uma série de incursões ao longo das fronteiras escocesas. Infelizmente para Henrique VIII, entretanto, a preparação havia sido mínima, e as tropas de Norfolk foram obrigadas a voltar muito antes do esperado. Em vez de demonstrar força, a Inglaterra deixou transparecer fraqueza. Isso encorajou Jaime V a lançar sua própria incursão ao sul como afirmação do poder escocês.

O resultado foi a Batalha de Solway Moss, em 24 de novembro de 1542. Dessa vez, a sorte de Henrique VIII melhorou, visto que os escoceses foram ainda mais mal conduzidos que os ingleses. De alguma forma, o bem equipado exército escocês, com mais de 15 mil homens, conseguiu ficar preso num atoleiro, sofrendo uma derrota humilhante nas mãos de uma força inglesa de cerca de 3 mil soldados. O exército escocês foi dizimado e os ingleses capturaram um contingente de nobres do vizinho. Apenas duas semanas depois, um desalentado rei Jaime V morreu, deixando uma filha bebê (que se tornaria a rainha Mary Stuart) e um reino desesperadamente vulnerável.

Essa era a grande oportunidade de Henrique. É provável que seu exército pudesse ter controlado a Escócia. Ele poderia, então, tomar a princesa Mary sob sua guarda e garantir seu direito como suserano do rei da Escócia. Mas em vez disso Henrique preferiu a diplomacia – possivelmente porque seu exército estava sobrecarregado na França. O rei cobriu de presentes os nobres capturados em Solway Moss e os enviou para casa encarregados de trabalhar pela causa inglesa. Não surpreende que muito pouco tenha acontecido, enquanto vários meses foram perdidos tentando-se negociar um contrato de casamento entre o príncipe Eduardo e a infanta princesa Mary.

Os escoceses aproveitaram a oportunidade para refazer seu exército antes de decidir, no final do ano, não ratificar o tratado. Henrique lançou um ataque punitivo a Edimburgo, incendiando a cidade, mas esse lance se mostrou desastroso. O perverso ataque inglês uniu os escoceses em oposição feroz aos vizinhos do sul e fortaleceu a determinação por um alinhamento aos franceses. Na época da morte de Henrique VIII, a Escócia estava mais hostil à Inglaterra do que nunca.

Catarina de Aragão *(à esquerda)*, a primeira esposa: rejeitada e expulsa dos aposentos reais

Catarina de Aragão, óleo sobre painel, anônimo, séc. XVIII, Galeria Nacional de Retratos, Londres

Jane Seymour, a terceira esposa: única a dar um filho homem a Henrique VIII

Jane Seymour, óleo sobre madeira, Hans Holbein, o Jovem, 1536

A ÚLTIMA ESPOSA DO REI

Em 1543, ano de seu último casamento, Henrique VIII tinha 52 anos e não estava nada bem. Estava extremamente gordo e tinha dores constantes por causa das úlceras nas pernas. Andar era muito doloroso e, apesar de ainda cavalgar, tinha de ser içado até a sela. Nos palácios reais, era carregado entre os cômodos. O cargo de rei era solitário e exigia muito, particularmente desde a morte de Cromwell. Henrique VIII precisava desesperadamente de uma companheira para apoiá-lo e confortá-lo em seus anos derradeiros – e ele encontrou a mulher ideal em Catarina Parr.

Catarina vinha de uma respeitada família de senhores de terras. Seu pai e sua mãe serviram na corte, mas o pai morreu quando ela tinha cerca de 4 anos, deixando a mãe, Maud para criar os três filhos do casal. Aos 17, ela se casou com um jovem nobre que morreria três anos depois, deixando-a viúva aos 20. O segundo casamento foi com um viúvo, lorde Latimer, do castelo Snape, em Yorkshire, e pelos nove anos seguintes ela cuidou do marido, mostrando grande bondade para com seus filhos. Quando Latimer morreu, em 1543, Catarina tinha 31 anos. Sem filhos e com uma fortuna respeitável, finalmente ela pôde seguir seu coração, e desenvolveu uma forte afeição por *sir* Thomas Seymour, irmão da terceira esposa de Henrique VIII, Jane Seymour. O rei, porém, começou a se interessar por ela. Dividida entre o amor e o dever, Catarina escolheu o dever e se casou com o monarca.

Eles se casaram na capela de Hampton Court, assim como ocorrera com Jane Seymour e Ana de Cleves. Ao contrário de alguns dos casamentos anteriores de Henrique VIII, essa não foi uma cerimônia reservada, e ambas as filhas do rei foram convidadas. Catarina levou muito a sério o papel de madrasta, oferecendo sua amizade a Mary e se preocupando com a educação de Elizabeth e Eduardo, então com 9 e 5 anos.

Nos anos em que Catarina foi rainha, as residências reais se tornaram lugares alegres, já que ela gostava de dança e de música, empregou uma companhia de comediantes e mantinha cães e papagaios de estimação. A nova rainha não negligenciava sua religião, passando várias horas em suas devoções e até compilando um livro de rezas e meditações. Como um cortesão afirmou: "Sua rara bondade fazia todos os dias parecerem domingos".

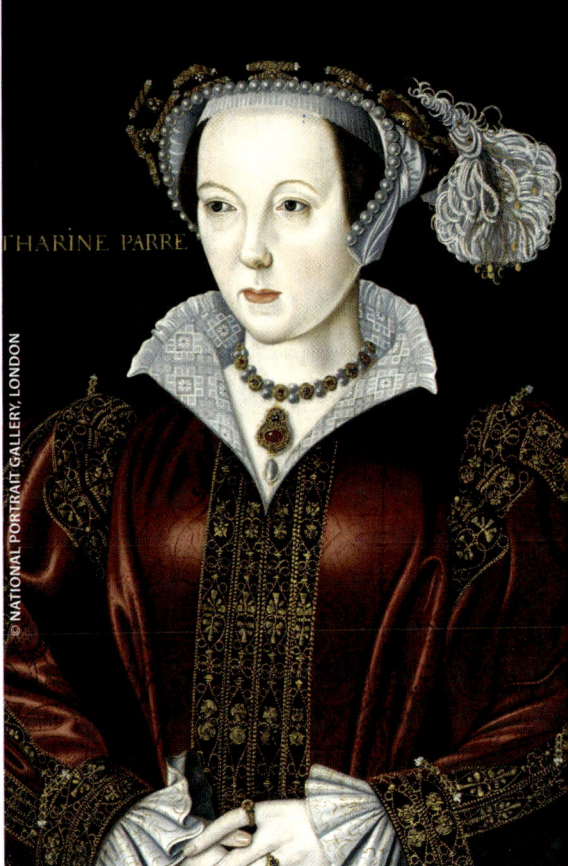

Em 1544, a rainha Catarina era mais enfermeira que companheira de quarto do rei, deixando seus aposentos reais e estabelecendo-se em um pequeno quarto ao lado dos aposentos do marido, pronta a confortá-lo quando ele precisasse. Henrique VIII costumava ter acessos de fúria por causa da dor, e dizia-se que o cheiro da úlcera infectada em sua coxa era horrível. Catarina já havia cuidado de um marido doente e desempenhou seu papel com altruísmo. Em seu último casamento, Henrique VIII escolhera bem.

O FIM DE UM REINADO

Os últimos anos do reinado de Henrique VIII não foram muito bem-sucedidos. Enquanto o rei, doente, se esforçava para governar sem o apoio de um conselheiro próximo, seus problemas financeiros se multiplicavam. Ele se tornou cada vez mais tirânico, condenando à morte vários servos reais. Na atmosfera envenenada de medo e suspeita que se abateu sobre a corte, rumores de intrigas abundavam. Nem o poderoso duque de Norfolk estava a salvo da ira do rei, e sua decapitação estava marcada para o dia em que Henrique VIII morreu.

Em dezembro de 1546, a saúde do rei estava combalida, apesar de ele fazer esforços heroicos para reunir forças. Mesmo quando finalmente se recolheu à sua cama, era claro que ainda não estava pronto para um final pacífico. Até as horas finais, ele se preocupava e planejava o futuro do reino. O príncipe Eduardo tinha apenas 9 anos, e ainda faltavam seis para que pudesse reinar sozinho. Temendo que o filho se tornasse um joguete entre facções políticas, Henrique VIII elaborou um testamento especificando que a Inglaterra deveria ser governada por um Conselho de Regência, em que todos os membros teriam a mesma autoridade. Enquanto suas forças se esvaíam, o rei alterava repetidamente os membros do Conselho. Finalmente, no entanto, sua vontade de ferro falhou e ele morreu, em 28 de janeiro de 1547, no palácio de Whitehall.

Ana de Cleves, a quarta esposa: casamento não consumado e relação de "irmã" com o rei

Ana de Cleves, óleo sobre papel velino em tela, Hans Holbein, o Jovem, 1539-1540, Museu do Louvre, Paris

Catarina Parr, a última esposa: papel de cuidadosa enfermeira

Catarina Parr, óleo sobre painel, anônimo, séc. XVI, Galeria Nacional de Retratos, Londres

Oito dias depois, o funeral real foi celebrado na capela de São Jorge, em Windsor, e Henrique VIII foi enterrado na capela de São Jorge, ao lado de Jane Seymour, como pedira. Ele compartilha uma lápide com o infeliz rei Carlos I.

O LEGADO DE HENRIQUE VIII

Quando Henrique VIII morreu, aos 55 anos, os cofres reais estavam vazios e os súditos se desgastaram sob seu governo. A nobreza inglesa estava dividida em facções rivais e a discórdia religiosa era disseminada, uma vez que o país se dividiu entre adeptos da fé católica romana e os apoiadores das reformas protestantes. Em suas relações com os poderes estrangeiros, ele nunca alcançou as conquistas militares com que sonhara, obtendo pequenos ganhos na França, enquanto sua política desastrosa na Escócia aumentara a ameaça de invasão pelo norte. E o mais perigoso, em termos do futuro de seu reino, era que Henrique não conseguira atingir o objetivo de uma sucessão segura. O príncipe Eduardo, aos 9 anos, herdou uma base de poder instável. Ao menos nos anos seguintes, o futuro parecia sombrio para a dinastia Tudor.

Mas o reinado de Henrique VIII foi mesmo tão desastroso? Por mais de quatro décadas, ele se agarrou com tenacidade ao poder, sobrevivendo a levantes, tentativas de invasão e até à excomunhão para emergir como um monarca orgulhosamente independente, com um poder consideravelmente maior que o de seu pai. Ele desafiou o poder do papa. Como líder da Igreja da Inglaterra, livrou-a de várias práticas corruptas e levou a Bíblia em inglês para o povo comum. Ele fortaleceu e aumentou o poder da monarquia, libertando-a das amarras do clero, incorporando o País de Gales ao reino inglês e até declarando seu domínio sobre a Irlanda. Ao longo de seu reinado, Henrique VIII se mostrou uma figura capaz de estender sua influência sobre a Europa, tornando seu pequeno reino temido e respeitado no estrangeiro.

O legado de Henrique VIII ao seu país inclui vários prédios magníficos. O Christ Church College, em Oxford, a capela do King's College, em Cambridge, e o palácio de Hampton Court foram todos concluídos por ele (apesar de nenhum ter sido iniciado por ele). Sob a ameaça de invasão francesa, Henrique encomendou uma série de fortes imponentes e transformou a marinha inglesa uma força de batalha impressionante. Graças aos esforços de Cromwell, a máquina do governo se tornou muito mais eficiente, com tribunais reformados e um sistema tributário muito mais justo.

Henrique VIII deixou de aproveitar muitas oportunidades. Ele herdou uma fortuna do pai, mas a exauriu nas duas primeiras décadas de reinado. Ainda mais espantosamente, as vastas somas de dinheiro ganhas pelo tesouro real com a tomada das terras monásticas foram esbanjadas em rodadas de extravagâncias e aventuras militares. Para financiar sua campanha francesa da década de 1540, ele vendeu a maior parte das terras que tomou das abadias. Ele tomou emprestadas cerca de 100 mil libras em mercados estrangeiros, deixando a dívida para ser paga pelos sucessores.

Henrique VIII desvalorizou a moeda inglesa duas vezes, substituindo todas as moedas de prata do país por outras com quantidades menores de metal precioso. Essas medidas desesperadas produziram ganhos no curto prazo (rendendo-lhe cerca de 300 mil libras), mas tiveram sérias consequências para o país. Após as desvalorizações promovidas pelo rei, a atividade econômica diminuía, já que as pessoas decidiam gastar o dinheiro em vez de investi-lo em negócios.

O rei era libertino e indulgente consigo mesmo, mas era esperado que os monarcas de seu tempo vivessem no esplendor. Entretanto, ele negligenciou os interesses comerciais de seu país ao não encorajar e apoiar o comércio inglês como fizera seu pai. Durante seu reinado, a exploração externa também foi abandonada, e o impulso dado por Henrique VII foi perdido. Em uma época em que relações comerciais valiosas estavam sendo estabelecidas, a Inglaterra nem estava no páreo. Henrique VIII não conseguiu assegurar uma fatia da fabulosa riqueza do Novo Mundo que estava enchendo os cofres de Portugal e Espanha.

Talvez a crítica mais séria que possa ser feita a Henrique VIII seja que ele não cuidou dos súditos mais pobres. Na verdade, a situação dos pobres piorou durante seu reinado, já que a dissolução dos mosteiros levou à perda de centenas de escolas e hospitais mantidos por monges e freiras. Sem canais efetivos para protestar, ficou a cargo de homens de consciência, como Thomas More, falar sobre suas dificuldades.

Os críticos de Henrique VIII reclamavam que suas reformas religiosas pioraram a vida dos súditos. Nas palavras apaixonadas de um autor oposicionista, os pobres "tinham hospitais e albergues para se alojar, mas agora ficam jogados e passando fome nas ruas".

Quando Henrique VIII morreu, em 1547, o povo da Inglaterra estava mais que pronto para uma mudança. Os Tudors teriam tempos desafiadores pela frente.

Henrique VIII e barbeiros cirurgiões, óleo sobre tela, Hans Holbein, o Jovem, c. 1543

O REI CRIANÇA E A RAINHA DOS NOVE DIAS

COROADO AOS 9 ANOS, EDUARDO VI MORREU SEIS ANOS DEPOIS E DEU LUGAR AO CURTO REINADO DE *LADY* JANE

Henrique VIII estava no leito de morte e seus cortesãos, em volta, prestavam as últimas homenagens. Ele governara com mão de ferro por cerca de 40 anos, mas agora a Inglaterra se deparava com a incerteza. O que seria do príncipe Eduardo, seu herdeiro, então com 9 anos, e quem tomaria as rédeas da nação até que ele chegasse à maioridade?

A Igreja da Inglaterra continuaria em sua rota de independência de Roma, e qual seria o destino das filhas de Henrique VIII, Mary e Elizabeth? As perguntas eram sussurradas nos corredores do palácio real. Apenas uma coisa era certa: os anos seguintes não seriam fáceis para a família Tudor. Henrique VIII fez uma última e desesperada aposta, assinando um testamento que dizia precisamente como seu reino deveria ser dirigido após sua morte. Ele seria sucedido no trono pelo príncipe Eduardo e o governo, conduzido por um Conselho de Regência – um corpo de 16 homens "inteiramente amados" sem que nenhum deles tivesse o controle total.

O objetivo era manter o equilíbrio de poder na corte, algo que ele administrara com brilhantismo. Mas os desejos finais do rei não tinham força de lei. Horas após sua morte, um grupo de cortesãos ambiciosos tomou as rédeas do poder. A figura dominante era Eduardo Seymour, irmão de Jane Seymour, terceira esposa de Henrique VIII. Como tio do príncipe Eduardo e comandante militar mais importante da Inglaterra, Seymour via-se como candidato natural a guardião do príncipe – e não perdeu tempo.

Seymour foi buscar o príncipe Eduardo, que estava nos arredores de Londres, e levou-o para o palácio de Enfield, ao norte de Londres, onde o jovem príncipe se reuniu com sua irmã Elizabeth, então com 13 anos. Apenas quando as duas crianças estavam juntas, Seymour deu a notícia da morte de seu pai, ajoelhando-se perante o novo rei. O choro das crianças foi tão triste que os servos logo também caíram em prantos.

Seymour preparou o rei para a chegada a Londres. Em 31 de janeiro de 1547, a morte de Henrique VIII foi anunciada ao Parlamento (três dias após o ocorrido) e Eduardo foi proclamado herdeiro do trono. O novo rei foi aclamado com uma ensurdecedora salva de canhões quando entrava na Torre de Londres, onde seus conselheiros reais aguardavam para prestar-lhe humilde homenagem. No mesmo dia, Eduardo assinou a nomeação de Seymour como lorde protetor da Inglaterra e governador da pessoa do rei.

Obra retrata Eduardo ainda criança, com texto em latim: "Pequeno, imitai vosso pai e sede herdeiro de sua virtude; o mundo não contém nada maior. Os céus e a terra não poderiam criar um filho cuja glória sobrepujaria a de tal pai. Apenas igualai os feitos de vosso pai, e homem algum poderia pedir mais. Se o superardes, tereis superado a todos, e nenhum vos superará nas eras vindouras".

Retrato de Eduardo VI, *óleo e têmpera em carvalho*, Hans Holbein, o Jovem, c. 1538

PARVVLE PATRISSA, PATRIÆ VIRTVTIS ET HÆRES
ESTO, NIHIL MAIVS MAXIMVS ORBIS HABET.
GNATVM VIX POSSVNT COELVM ET NATVRA DEDISSE,
HVIVS QVEM PATRIS, VICTVS HONORET HONOS.
ÆQVATO TANTVM, TANTI TV FACTA PARENTIS,
VOTA HOMINVM, VIX QVO PROGREDIANTVR, HABENT
VINCITO, VICISTI, QVOT REGES PRISCVS ADORAT
ORBIS, NEC TE QVI VINCERE POSSIT, ERIT.

Retrato de Eduardo VI da Inglaterra, óleo sobre painel, artista do círculo de William Scrotts, c. 1550

"UM JOVEM REI SALOMÃO"

Eduardo foi coroado rei da Inglaterra e da Irlanda na abadia de Westminster em 20 de fevereiro. Na véspera de sua coroação, o novo rei desfilou pelas ruas de Londres em um magnífico cavalo adornado. O jovem pálido de cabelos vermelhos assistiu a um equilibrista espanhol no pátio da catedral de Saint Paul e – nas palavras de um espectador – "riu de coração". Essa encantadora imagem de Eduardo se divertindo é a última visão que temos dele como uma criança despreocupada. Dali em diante, o semblante que Eduardo VI apresentaria ao mundo seria solene, reservado e digno – a imagem de um rei. Ele era cumprimentado euforicamente pelos súditos. Eis um "jovem rei Salomão", diziam, vindo para governá-los com sabedoria. Como escreveu um observador, "como somos felizes, os ingleses de tal rei, em cuja infância aparecem à perfeição digna virtude, zelo divino, desejo de literatura, gravidade, prudência, justiça e magnanimidade, como se encontram em reis de idade mais madura".

Desde seu nascimento, em 12 de outubro de 1537, o filho de Henrique VIII foi uma celebridade. Após 28 anos esperando por um herdeiro real, o nascimento do príncipe Eduardo foi celebrado com comemorações extravagantes, estragadas apenas pela notícia da morte trágica da rainha Jane, apenas 12 dias depois. Em uma época em que todos viviam aterrorizados por uma morte súbita, tomaram-se cuidados fanáticos com a saúde e a segurança de Eduardo: o chão de seus aposentos era lavado três vezes ao dia e sua comida, preparada apenas com os melhores ingredientes. Os primeiros anos do príncipe foram passados na companhia de um grupo seleto de damas, que o ensinaram modos elegantes e o básico da leitura e da escrita. Aos 6 anos, entretanto, Eduardo passou para o mundo dos homens e sua educação começou a sério. Os mais importantes de seus tutores foram Richard Cox, futuro bispo de Ely, e o dr. John Cheke, de Cambridge – ambos intelectuais excepcionais, com inclinações protestantes. Eles passaram a Eduardo uma base completa de latim e grego, escrituras, história e geografia. Também havia aulas de francês, alemão, italiano e caligrafia, enquanto William Thomas, escriturário do Conselho Real, ensinava ao príncipe sobre política e estadismo.

Segundo todos os relatos, Eduardo era ótimo aluno. Aos 7 anos, já era especialista em conjugar verbos em latim e conseguia compor versos naquela língua. Quando o tutor de Elizabeth, Roger Ascham, visitou o rei, então com 12 anos, relatou que ele estava "maravilhosamente à frente de sua idade". Estudar e ler eram seus passatempos naturais, apesar de gostar de jogos e corridas com os amigos. Ao contrário da irmã Elizabeth, ele não herdou a paixão do pai pela caça ou pela música e nitidamente desaprovava a dança. Quando tinha 8 anos, Eduardo enviou uma carta à madrasta, Catarina Parr, pedindo-lhe que lembrasse sua irmã Mary (então com 29 anos) de que ela estava arruinando sua reputação com seu amor por "danças estrangeiras e outros divertimentos que não condizem com uma princesa cristã".

Acima de tudo, Eduardo era apaixonado por religião. Desde cedo, amava ler a Bíblia e desenvolveu um gosto por sermões longos e complexos, anotando detalhadamente os argumentos dos pregadores. À época de sua coroação, já tinha os traços de um protestante fanático e, aos 12, escreveu um tratado atacando o papa e chamando-o de Anticristo. O que faltava a Eduardo era o amor materno. O pai era uma figura distante e assustadora e as duas primeiras madrastas, Ana de Cleves e Catarina Howard, davam-lhe pouca atenção.

Apenas quando Henrique VIII se casou com Catarina Parr Eduardo recebeu afeição materna de verdade. Ela o levou para o seio da família e o garoto, então com 5 anos, respondeu avidamente, chamando-a de "minha mais querida mãe". Subsiste uma carta em que Eduardo, aos 8 anos, expressa sua gratidão a Catarina, dizendo: "Recebi tantos benefícios de ti que minha mente mal pode compreender". Catarina levou Eduardo a passar mais tempo com as irmãs, Mary e Elizabeth. A primeira era 21 anos mais velha que ele e não compartilhava suas convicções protestantes, tendo sido criada pela mãe, Catarina de Aragão, como católica devota. Mas ela era dedicada ao garoto sério. Em troca, o jovem Eduardo lhe enviava presentes e cartas, escritas em latim, em que lhe dizia que a amava mais do que tudo. Em Elizabeth – apenas quatro anos mais velha que ele –, Eduardo tinha uma companheira próxima. Ambos eram precocemente espertos e tinham perdido suas mães quando eram bebês. Cartas trocadas por eles revelam como odiavam estar separados. Em 1546, Eduardo escreveu carinhosamente a Elizabeth: "Mudar de lugar não me incomodou tanto, querida irmã, quanto você ter se afastado de mim… Conforta um pouco a minha dor meu camareiro dizer que posso esperar visitá-la logo". Mas todas essas questões familiares desapareceram no dia em que ele se tornou o rei Eduardo VI.

O GOVERNO DO LORDE PROTETOR

O reino de Eduardo começara. O lorde protetor, Eduard Seymour, era um homem sério, com um forte desejo de melhorar as condições dos pobres, mas sua convicção inabalável de que estava sempre certo lhe trouxe muitos inimigos. Seu método para lidar com o rei era mantê-lo sempre com pouco dinheiro. No meio-tempo, ele se dedicava ao governo da Inglaterra, recorrendo muito pouco ao Conselho Real ou ao Parlamento.

Henrique VIII deixara a Coroa em escassez de recursos e o reino dividido pela religião. A política de dissolução dos mosteiros não contemplou provisões para cuidar dos pobres e enfermos. Além disso, havia o medo constante de que os governantes católicos da Europa pudessem se mover para trocar o jovem rei protestante por um monarca católico – na pessoa de sua irmã mais velha, Mary. Mas o problema mais urgente para Seymour era a hostilidade da Escócia.

Houve problemas com a Escócia desde o início da década de 1540, quando Henrique VIII propusera que o príncipe Eduardo fosse prometido à bebê Mary, *"queen of Scots"* (Mary Stuart). Com essa proposta, ele esperava ganhar o controle da Escócia, mas muitos escoceses defendiam que Mary fosse prometida ao filho do rei da França. Em 1544, o Parlamento escocês se recusou a assinar o acordo de casamento (Tratado de Greenwich) e Henrique VIII lançou um ataque devastador a Edimburgo. No ano seguinte, um contra-ataque escocês terminou com a derrota dos ingleses na Batalha de Ancrum Moor.

Em 1547, Seymour foi o arquiteto de uma vitória esmagadora na Batalha de Pinkie Cleugh, e tratou de estabelecer uma rede de fortificações na Escócia. Por alguns meses, os ingleses conseguiram resistir a todos os ataques, mas a sorte mudou quando os escoceses formaram uma aliança com os franceses. No verão de 1548, o rei da França enviou reforços para a defesa de Edimburgo, e, no ano seguinte, Seymour foi forçado a se retirar da Escócia, pressionado pelo custo de manter suas defesas no país. A essa altura, Mary Stuart havia se mudado para a França e fora prometida em casamento ao delfim, o herdeiro do trono francês.

Em 1549, um curtidor de couro chamado Robert Kett liderou um levante popular em protesto contra a ganância dos senhores de terra. Kett reuniu uma força de cerca de 15 mil homens e atacou Norwich, alarmando o lorde protetor. Quando uma força inicial de 1.500 homens não conseguiu sufocar a rebelião, Seymour enviou John Dudley com um exército de 14 mil soldados. A eficiência de Dudley para sufocar a rebelião marcou o início de sua inexorável ascensão ao poder.

Esses problemas não afastaram Seymour de uma ativa campanha de reforma religiosa. Com o apoio de Thomas Cranmer, ele autorizou a dissolução de *chantry chapels* – capelas especiais para celebração de missas cantadas, normalmente pela alma de um rico doador falecido. A campanha de Seymour tinha motivos claramente financeiros – as capelas eram uma fonte valiosa de receita –, mas Cranmer, como arcebispo de Canterbury, via como seu dever livrar a Igreja inglesa das práticas corruptas de Roma.

Em 1549, Cranmer compôs o *Book of common prayer* (Livro de oração comum), em inglês, detalhando todas as preces e serviços que deveriam ser conduzidos nos locais de culto ingleses. No mesmo ano, o Ato de Uniformização decretou que esses serviços seriam compulsórios, substituindo a missa em latim. O ato sofreu grande oposição em todas as camadas da sociedade. Dois bispos que protestaram – Stephen Gardiner e Edmund Bonner – foram aprisionados na Torre de Londres, enquanto um levante popular em Devon e na Cornualha (a Prayer Book Rebellion) teve de ser subjugado à força.

AS INVESTIDAS DE THOMAS SEYMOUR PELO PODER

Na corte, muitos estavam ansiosos para contestar o direito de Eduard Seymour de dominar o jovem rei, e o mais perigoso de todos era seu irmão mais novo, Thomas Seymour. Subornando John Fowler, um dos mordomos de Eduardo, ele conseguiu contrabandear presentes de dinheiro ao sobrinho real. O rei, no entanto, se manteve leal ao lorde protetor, recusando-se a assinar um documento concordando com um protetorado conjunto dos dois tios. Thomas Seymour, entretanto, tinha ambições poderosas. Em 1547, casou-se com a viúva de Henrique VIII, Catarina Parr, obtendo riqueza e prestígio. Ele usou seu charme indiscreto para provocar a princesa Elizabeth, então com 13 anos, até que Catarina a mandou embora para proteger sua reputação. Após a morte de Catarina, em 1548, Thomas voltou novamente as atenções a Elizabeth.

Sua investida mais desesperada pelo poder veio em janeiro de 1549, quando tentou sequestrar Eduardo VI. Usando uma cópia da chave, Thomas entrou nos aposentos do rei em Hampton Court à frente de um pequeno grupo de homens armados. Ele destrancou a porta do quarto de Eduardo, onde foi confrontado pelo cão de caça do rei. Cara a cara com um cão latindo selvagemente, Thomas sacou a pistola e o matou, aterrorizando Eduardo VI e alertando a guarda. O incidente foi relatado ao Conselho Real, que enviou Thomas à Torre. Ele foi decapitado por traição.

Outra pedra no caminho do lorde protetor era John Dudley, conde de Warwick. Filho de Edmund Dudley, o odiado coletor de impostos de Henrique VIII, ele servira como lorde almirante e provara sua capacidade ao esmagar a rebelião de Kett. Dudley era ambicioso, inescrupuloso e dado a intrigas, e, em 1549, estava sedento por poder. Ele reuniu um grupo de apoiadores no Conselho Real e preparou um golpe. No início de outubro, um Eduard Seymour nervoso se apossou do rei e se entrincheirou no castelo de Windsor. Em uma semana, foi preso e levado à Torre. As acusações contra o lorde protetor foram, nas palavras do rei Eduardo, "ambição, vaidade, entrar em guerras precipitadas... e enriquecer à custa do meu tesouro".

Mas ele logo foi solto diante do clamor do público em favor do "bom duque". Seymour foi até reconduzido ao Conselho Real, mas o controle passara a John Dudley. Só em 1552, ele conseguiria se livrar do rival, prendendo Seymour por planejar depô-lo. O antigo lorde protetor foi decapitado em janeiro daquele ano.

Eduardo registrou a morte do tio em suas *Crônicas*, anotando simplesmente "o duque de Somerset teve a cabeça cortada na Torre Green entre oito e nove da manhã".

O GOVERNO DO LORDE PRESIDENTE

Em outubro de 1549, Dudley assumiu o título de lorde presidente do Conselho Real. A essa altura, Eduardo VI, com 12 anos, já se interessava bastante pelos assuntos do reino – e Dudley sabia exatamente como influenciá-lo. Relaxando o regime estrito imposto pelo tio do rei, ele até começou a consultá-lo sobre assuntos de Estado, aumentando gradualmente o escopo do envolvimento real. Quando Eduardo VI chegou aos 14 anos, tinha o próprio Conselho de Estado. Os membros eram escolhidos pelo rei e, em suas reuniões semanais, ele poderia "ouvir o debate de temas da maior importância".

O período de Dudley no poder foi marcado por ações decisivas em várias frentes. Na política externa, ele teve uma abordagem pragmática. Reconhecendo que a Inglaterra não podia se dar ao luxo de estar em guerra, cessou todas as hostilidades com a Escócia e a França, assinando um tratado de paz com os franceses, a retirada da Inglaterra de Boulogne-sur-Mer e de todas as fortificações na Escócia.

Dudley lidou também com o estado lastimável das finanças do reino, restaurando a confiança na moeda inglesa, e iniciou uma revisão pormenorizada da cobrança de tributos. Com total apoio do rei, ele impôs um programa ainda mais radical de reforma religiosa. Ordenou-se aos padres que se livrassem de todas "as imagens idólatras e livros supersticiosos". A missa católica foi efetivamente abolida – substituída por uma versão revisada do *Livro de oração comum*, de Cranmer. Ao final do reinado de Eduardo, a Igreja Anglicana era inequivocamente protestante.

A DOENÇA DE EDUARDO VI

Na primavera de 1552, Eduardo VI tinha 14 anos e estava desesperado para assumir mais poder. Ele persuadira seus conselheiros que poderia ascender ao trono com 16, em vez de 18 anos. Uma das medidas que planejava adotar como monarca era o estabelecimento de instituições de caridade para os pobres e, em fevereiro, ele criou duas fundações: um hospital para os doentes no priorado de St. Thomas,

Southwark, e uma escola para os filhos dos pobres, o Christ's Hospital. Então, no início de abril, Eduardo VI sofreu um ataque de sarampo, que pode ter sido combinado com varíola.

No início, ele pareceu restabelecer-se completamente, participando de cerimônias e brincadeiras, antes de sair em uma comitiva real em junho. Com os compromissos em banquetes e caçadas, em agosto Eduardo estava exausto.

No meio de setembro, o rei finalmente foi convencido a voltar a Windsor, onde um médico o diagnosticou com tuberculose, doença para a qual não se conhecia cura. Ele recomendou simplesmente que o rei descansasse.

Em seu 15º aniversário, em outubro, ele estava tossindo sangue e, no Natal, sofria com violentos episódios de febre. Dudley estava desesperadamente preocupado com seu futuro. Ele sabia que a morte de Eduardo VI levaria a católica Mary ao trono, com consequências nefastas para os protestantes. Em fevereiro, os rumores da doença do rei estavam se espalhando e Mary resolveu visitá-lo.

Ela ficou chocada ao ver o quanto Eduardo VI havia mudado, mas ele lhe garantiu que estava se recuperando. Em 21 de fevereiro, ele se mostrou forte o bastante para abrir uma nova sessão do Parlamento, antes de se retirar para Greenwich, confiante de que algumas semanas de descanso restaurariam sua saúde. Mas, em abril, seu corpo estava coberto de úlceras dolorosas e suas pernas haviam inchado tanto que ele foi forçado a ficar deitado de costas. Um médico real previu que o rei estaria morto em junho, mas Dudley continuava emitindo boletins tranquilizadores.

UMA QUESTÃO DE SUCESSÃO

Dudley estava jogando um jogo desesperado. Se Mary ou Elizabeth herdassem o trono, seu poder seria retirado, e ele poderia até mesmo ser preso e morto. Mas, se conseguisse persuadir o rei a nomear um candidato de sua preferência, poderia se manter como o poder por trás do trono. A candidata de Dudley era *lady* Jane Grey, bisneta do rei Henrique VII e prima (em segundo grau) de Eduardo. A mãe de Jane era a filha da princesa Maria, a irmã mais nova de Henrique VIII e fora mencionada em seu testamento como a quarta na linha sucessória, após Eduardo, Mary e Elizabeth. Jane era uma garota quieta e estudiosa e, como Eduardo, protestante fanática. Ela também tinha apenas 15 anos e estava firmemente sob controle de Dudley.

Em 25 de maio de 1553, Jane havia se casado com o filho de Dudley, Guildford, e John estava confiante de que poderia compelir a nora a realizar seus desejos. Com esse objetivo em mente, Dudley começou a fazer a cabeça do rei, mas precisava de tempo.

O TESTAMENTO DE HENRIQUE VIII

O Ato de Sucessão final de Henrique VIII previa que apenas seu filho, Eduardo, o sucederia no trono. Caso este morresse sem herdeiros, o trono passaria para Mary e, caso ela morresse sem filhos, para Elizabeth. Se a linhagem de Elizabeth também se extinguisse, Henrique decretou que a coroa deveria passar aos herdeiros de sua irmã mais nova, Mary (a irmã mais velha de Henrique, Margaret, havia se casado com o rei da Escócia, velha inimiga da Inglaterra, então seus herdeiros foram excluídos do testamento). A neta mais velha de Maria era *lady* Jane Grey, e em 1553 ela se tornou a "Rainha dos Nove Dias" da Inglaterra.

Indiferente ao bem-estar de Eduardo VI, Dudley dispensou seus médicos e empregou uma charlatã, que administrava ao paciente uma mistura de arsênico que o manteria vivo por tempo suficiente para que Dudley completasse suas tramas. Enquanto Eduardo VI engolia o terrível remédio, Dudley extraía a aprovação real para seus planos. Confrontado com a perspectiva de seu reino voltar à fé católica, não foi difícil convencer o jovem rei a excluir sua irmã Mary da sucessão. Voltar o rei contra Elizabeth, porém, era tarefa mais difícil. Dudley advertiu-o dos perigos ao seu reino caso qualquer uma das irmãs se casasse com um príncipe católico. Ele lembrou-lhe também que ambas eram oficialmente bastardas (Henrique nunca revogara o ato do Parlamento que as declarara ilegítimas) e fez o elogio de *lady* Jane Grey, que era legítima, uma protestante fervorosa e já bem casada. Eduardo VI convenceu-se.

Reunindo a força que lhe restava, o rei mandou Dudley elaborar um testamento chamado "Meu legado sucessório", que copiou com mão trêmula. O documento final investia a coroa em "*lady* Jane e seus herdeiros masculinos" e, após estes, nas irmãs de Jane e seus herdeiros. As próprias irmãs de Eduardo foram descritas como "ilegítimas e não concebidas legalmente".

Dudley tinha seu "Legado", mas ainda precisava da aprovação dos juízes do país. Eles foram devidamente convocados aos aposentos do rei, onde protestaram que Eduardo VI ainda era menor e não tinha direito legal de contrariar o testamento do pai. O próprio rei interveio, impondo a obediência dos juízes "com palavras duras e semblante forte". Diante da ira do rei moribundo, os juízes capitularam. O "Legado" foi assinado por mais de 100 conselheiros, nobres, arcebispos e bispos, muitos dos quais posteriormente reivindicariam ter sido coagidos ou subornados por Dudley.

OS ÚLTIMOS DIAS DE EDUARDO VI

No final de junho, Eduardo VI agonizava sob efeito do arsênico. O corpo inchou como um balão, a pele começou a ficar preta e os dedos se desfaziam em gangrena. Dudley chamou de volta os médicos de verdade. Diante do paciente moribundo, eles inventaram várias poções, uma das quais incluía hortelã, erva-doce, nabo, tâmaras, noz-moscada, aipo e a carne de uma porca de nove dias. Quando o estadista William Cecil soube o que havia no remédio, respondeu: "Deus nos salve dos médicos!".

No início da tarde de 6 de julho, Eduardo VI sussurrou uma oração final, entregando a alma aos cuidados de Deus e Lhe pedindo que "defendesse seu reino do papado e mantivesse Sua verdadeira religião". O curto, mas movimentado, reinado de Eduardo VI chegava ao fim.

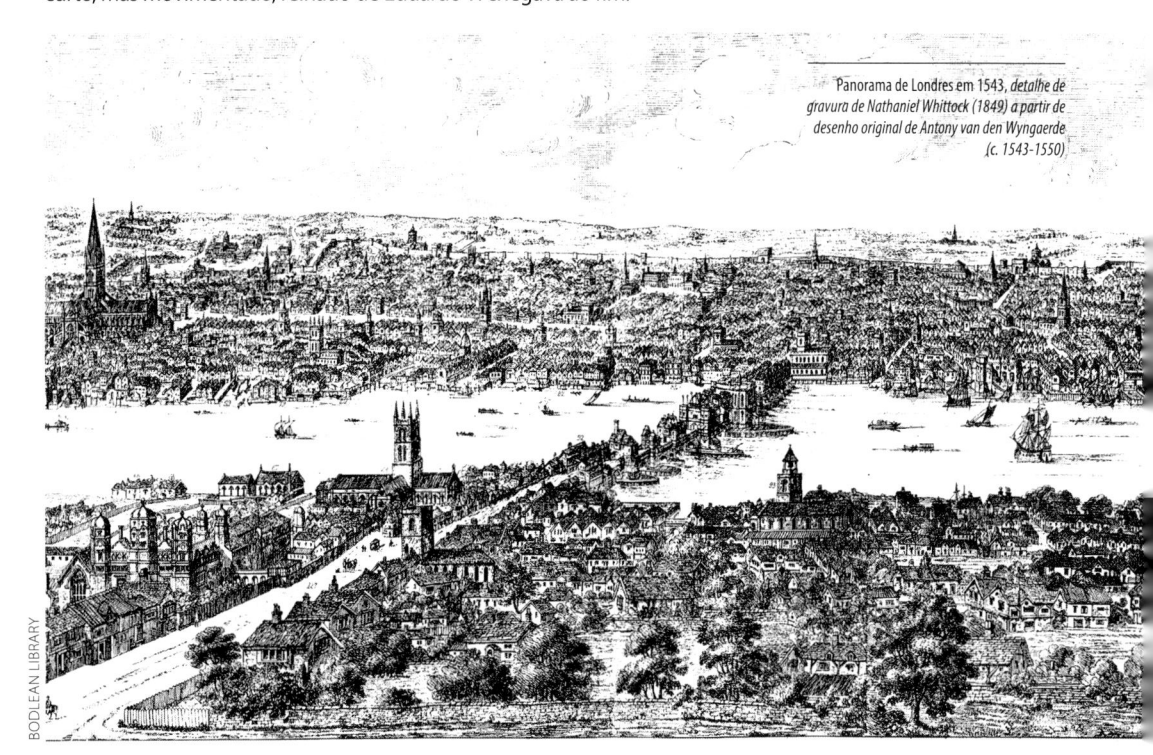

Panorama de Londres em 1543, *detalhe de gravura de Nathaniel Whittock (1849) a partir de desenho original de Antony van den Wyngaerde (c. 1543-1550)*

Na era Tudor, a medicina contava com recursos ainda bem limitados

Cena de dissecção, *ilustração em velino*, compêndio De proprietatibus rerum, *Bartholomeus Anglicus, séc. XV*

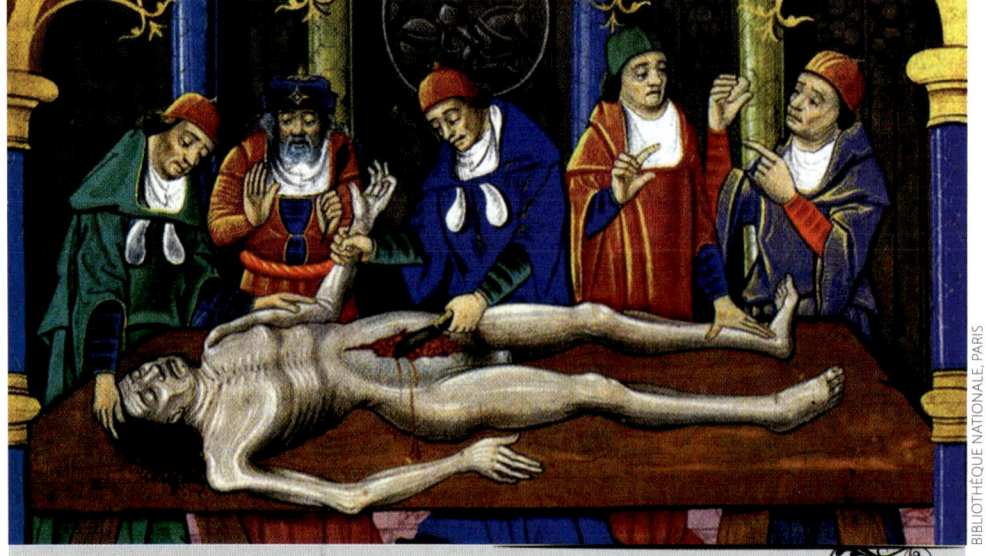

A MEDICINA NA ÉPOCA DOS TUDORS

A medicina na época dos Tudors era uma ciência muito inexata. Os médicos ainda seguiam os ensinamentos de Aristóteles, acreditando que o corpo fosse governado por quatro humores — sangue, fleuma, bile amarela e bile negra. Era amplamente sustentado que a doença era causada pelo excesso de um dos humores, e cabia ao médico restaurar o equilíbrio entre eles no corpo do paciente. As curas eram alcançadas pela sangria, purgação com laxativos e o uso de eméticos (drogas que provocam vômitos). Esses "remédios" eram produzidos com a mistura de ervas, mas costumavam incluir partes de animais e minerais triturados. A sangria era muito comum, já que muitas doenças eram atribuídas ao excesso de sangue no corpo. Médicos usavam sanguessugas nos pacientes. Outros cortavam uma veia e usavam uma bacia para coletar o sangue. Operações eram conduzidas por cirurgiões, usando facas e serras. Sem anestésicos ou antissépticos à disposição, as operações eram excruciantemente dolorosas e perigosas. Era comum ferimentos infeccionarem, levando o paciente à morte. Operações menores eram feitas por barbeiros-cirurgiões. Nas vilas, uma "mulher sábia" local conduzia as curas.

A esposa de Dudley, a duquesa de Somerset, visitou *lady* Jane Grey, sua nova nora. A duquesa chegou levando novidades surpreendentes. "Se Deus chamar o rei à Sua misericórdia", teria dito, "será necessário que você vá imediatamente à Torre. Sua Majestade a nomeou herdeira de seu reino." Mais tarde, Jane se recordou de que ficou "muito perturbada" e "pouco conseguiu entender de tais palavras".

Como filha da sobrinha de Henrique VIII, *lady* Frances Grey, Jane crescera à margem da família real. Seu pai, Henrique Grey, era um cortesão no palácio e sua família tinha uma grande casa em Londres, além de uma dilapidada propriedade rural. A mãe de Jane, duquesa de Suffolk, era filha de Mary Tudor, irmã mais nova de Henrique VIII.

O duque e a duquesa de Suffolk eram um casal impiedosamente ambicioso, que planejou desde o nascimento de Jane um casamento brilhante, e seu maior desejo era que sua filha fosse esposa do rei Eduardo. Em preparação, Jane recebeu uma ótima educação.

Aos 6 anos, a garotinha entrou em um estrito regime de estudos, aprendendo latim e grego, francês, espanhol e italiano, assim como caligrafia, dança e bordado. Jane era uma excelente aluna, mas os pais estavam decepcionados com a aparência da filha: ela era pequena e magra, com rosto sardento e cabelo cor de areia.

A jovem Jane passou a maior parte da infância sendo castigada, como revelaria mais tarde para Roger Ascham: "Quando estou na presença do pai ou da mãe, quer eu fale, fique em silêncio, sente, levante, coma ou faça qualquer outra coisa, devo fazê-lo com tais pesos, medidas e número, tão perfeitamente como

Deus fez o mundo; senão sou tão cruelmente ameaçada e castigada, às vezes, com beliscões, apertões e pancadas… que acho que estou no inferno". Foi um grande alívio para Jane quando, aos nove anos, foi enviada para viver em Londres, na casa de Catarina Parr, viúva de Henrique VIII.

Elizabeth, filha do rei, aos 13 anos, também estava vivendo com Catarina, e as duas meninas se tornaram amigas. Os pais de *lady* Jane claramente viam a mudança como uma chance para que a filha passasse mais tempo com o jovem rei, mas na realidade Jane e Eduardo raramente se viam.

Os pais de Jane não eram os únicos a ter planos para ela. Na época de sua chegada a Londres, Catarina Parr casou-se com Thomas Seymour, irmão do lorde protetor. Seymour via Jane como uma peça útil para seus esquemas e começou a planejar para que Jane se casasse com Eduardo. Os planos, entretanto, deram em nada.

Após a prisão de Thomas Seymour, Jane retornou à casa dos pais. Durante o tempo em que ficou fora, experimentara golpes duros. Na primavera de 1548, Elizabeth havia sido mandada embora, após terem descoberto que Seymour estava flertando imprevidentemente com ela. Alguns meses depois, Catarina Parr morreria, deixando Jane, então com 10 anos, aos cuidados do inescrupuloso Thomas Seymour. Por seis meses, até a prisão de Thomas, Jane esteve na posição de ser protegida por um notório mulherengo. Quando ficou claro que os planos de Seymour haviam falhado, o duque e a duquesa de Suffolk não custaram a arranjar novo par para a filha.

Jane foi prometida para o jovem Eduardo Seymour, o filho do lorde protetor – ao menos até que um prêmio maior surgisse. Enquanto isso, a moça continuava seus estudos. Quando chegou à adolescência, era nítido que se tratava de uma jovem excepcionalmente capaz. Aos 15, era fluente em latim e grego e havia mergulhado no hebraico para ler as Escrituras no original. Ela também se tornara uma protestante comprometida. O que Jane mais queria era uma vida de estudos sem interrupções.

Em janeiro de 1553, Eduardo VI estava morrendo e Dudley tramava para manter sua influência sobre o trono. Sua única esperança era a coroação de Jane, e ele propôs um casamento entre ela e seu filho, lorde Guildford Dudley. Os ambiciosos Suffolks ansiavam por fazer a vontade do homem mais poderoso da Inglaterra. Apenas Jane estava infeliz.

O casamento, em 25 de maio de 1553, foi abertamente político. Os pais de ambos concordaram que a união não deveria se consumar, para que pudesse ser anulado caso a trama de Dudley falhasse, e a recém-casada voltou para a casa dos pais. Jane retomou os estudos, mas em dois meses receberia a fatídica notícia de que seria rainha.

"JANE, A RAINHA"

Três dias após a morte de Eduardo VI, Dudley enviou sua filha para trazer *lady* Jane Grey para Syon House, a mansão da família. De acordo com os relatos da própria Jane, ela foi conduzida a uma grande câmara, cheia de nobres, com um trono sobre um altar. Dudley anunciou solenemente a morte de Eduardo VI para, em seguida, comunicar que *lady* Jane Grey era rainha. Todos se ajoelharam em homenagem enquanto ela desmaiava de choque.

Jane se recusou a aceitar seu novo papel,

Rainha quase à força, Jane teve um reinado curto e um destino infeliz

Lady Jane Dudley, óleo em painel de carvalho, anônimo, c. 1590-1600

protestando que Mary era a herdeira legítima, mas após palavras duras dos pais e sogro, ela capitulou e sentou-se no trono. Um aliviado Dudley liderou os juramentos de fidelidade, enquanto Jane ficou em silêncio, convencida, em seu coração, de que o que estava fazendo era errado.

No dia seguinte, a rainha Jane fez sua procissão real para a Torre de Londres, onde tradicionalmente os monarcas aguardavam a coroação. Viajando pelo rio, ela saiu cedo em uma barca esplêndida, vestida com um robe de veludo verde bordado com ouro. Arautos reais saíram pelas ruas de Londres, proclamando Jane rainha, sendo recebidos com estupor incrédulo. Poucos saíram para receber a nova rainha.

Naquela noite, um grande banquete foi servido em honra de Jane, mas as celebrações foram ofuscadas pela notícia de que Mary estava juntando apoio em East Anglia. Mais tarde, os aposentos reais foram palco de uma briga furiosa quando o marido de Jane, lorde Guildford Dudley, exigiu o direito de ser coroado rei. A recusa inflexível de Jane fez com que ele começasse a chorar e saísse correndo em busca da mãe.

Nos dias que se seguiram, Jane se habituou a uma nova rotina. Pelas manhãs, o Conselho Real se encontrava para decidir a ordem do dia, sob a presidência de lorde Guildford. A isso se seguia um banquete real em que a rainha tinha o assento de honra, ladeada por sua temível mãe e sua sogra. À tarde, Jane era informada de todas as decisões tomadas em seu nome, assinando todos os documentos com a nova assinatura, "Jane, a rainha". No resto do tempo, ficava em seus aposentos privados na Torre, temerosa de que Dudley planejasse envenená-la.

Com apenas dois dias do reinado de Jane, porém, as coisas já iam mal para Dudley. Mary reunira um exército de 15 mil homens em no castelo de Framlingham, em Suffolk, e o apoio à sua causa crescia rapidamente. Aos olhos de muitos ingleses – tanto protestantes quanto católicos –, Mary era a herdeira legítima ao trono inglês. Ela gozava também de grande afeição popular. Muitos ingleses tinham memórias caras da mãe de Mary, Catarina de Aragão, e achavam que *lady* Mary havia sido maltratada por muitos anos.

Henrique VIII tentou, sem sucesso, casar Eduardo VI com Mary Stuart em busca do controle da Escócia

Mary Stuart, rainha da Escócia, *aquarela em velino, François Clouet, o Jovem, c. 1558*

Dudley relutava em deixar Londres. Ele duvidava da lealdade de alguns de seus apoiadores e temia que mudassem de lado assim que virasse as costas. Ele, porém, sabia que era o único capaz de liderar o contra-ataque. Notícias de regiões do país declarando lealdade a Mary não paravam de chegar. Assim, em 14 de julho, Dudley saiu de Londres à frente de um exército de cerca de 5 mil homens, anunciando que traria Mary de volta, presa ou morta. Assim que ele saiu da Torre, muitos conselheiros fugiram silenciosamente. Ao mesmo tempo, panfletos apoiando o direito de Mary ao trono começaram a aparecer nas ruas de Londres e, no dia seguinte, as pessoas já professavam abertamente lealdade a ela.

Na Torre, a rainha Jane recebeu péssimas notícias

sobre Dudley. Suas tropas desertavam rapidamente e ele estava em tamanha desvantagem numérica que o confronto armado só poderia terminar em derrota. Em Londres, em 18 de julho, apenas três membros do Conselho ainda estavam na Torre – o duque de Suffolk (pai de Jane Grey), o arcebispo Cranmer (no papel de defensor da fé protestante) e John Cheke (antigo tutor de Eduardo VI), enquanto um grupo muito maior, liderado pelo conde de Arundel, visitara a catedral de Saint Paul para dar graças públicas pela salvação do reino da traição de Dudley.

Em 19 de julho, Arundel ordenou ao lorde prefeito que proclamasse Mary rainha da Inglaterra – e Londres enlouqueceu. Nas palavras de um comentarista, "todos os cidadãos fizeram grandes e muitos fogos por todas as ruas, com todos os sinos tocando". O curto e infeliz reinado de Jane chegava ao fim.

O DESTINO DE *LADY* JANE

As celebrações estavam no auge quando o pai chegou aos aposentos de Jane, onde ela estava sentada sob um toldo fazendo sua refeição. "Você não é mais rainha", anunciou, arrancando o toldo. A resposta da filha foi admiravelmente calma. Ela perguntou ao pai se poderia ir para casa, mas não recebeu resposta. Ele decidira passar para o lado de Mary e estava abandonando a filha à própria sorte.

Em algumas horas, guardas chegaram à Torre para informar Jane, Guildford e sua mãe de que todos eram prisioneiros da Coroa. No dia seguinte, Dudley foi preso em Cambridge e, quatro dias depois, conduzido por Londres diante de uma multidão furiosa que pedia sua morte. Dudley foi trancado na Torre com os filhos.

Jane foi transferida para a casa do fidalgo carcereiro da Torre, onde lhe foi permitido acesso a livros e material de escrita enquanto aguardava para saber o que seria dela. A rainha Mary prometeu à mãe de Jane que nada aconteceria à moça ou aos pais, mas, enquanto logo estes estavam a salvo em casa, ela continuou na Torre, e os Greys não fizeram mais esforços para ajudá-la. Mary anunciou a intenção de manter Jane e o marido sob custódia até que fosse seguro perdoá-los e libertá-los.

Acreditando que logo estaria livre, Jane retomou os estudos, escrevendo ataques imprudentes e apaixonados à fé católica. Em 23 de agosto, Dudley foi julgado, considerado culpado e executado. Depois, em novembro, Jane, Guildford Dudley e o arcebispo Cranmer foram julgados por alta traição. Os três foram considerados culpados e sentenciados à morte, mas Mary resolveu ser misericordiosa e os prisioneiros continuaram na Torre. A intenção era atrasar o perdão e a libertação de Jane até que ela tivesse casado e dado à luz um herdeiro, mas os planos de casamento de Mary com o príncipe Felipe da Espanha contrariavam boa parte do povo, que odiava a ideia de que o país pudesse ser governado por um monarca católico estrangeiro.

Em um ambiente tão hostil, Jane poderia se tornar um foco de revolta, e Mary aumentou a segurança na Torre. Então, em janeiro, seus espiões descobriram uma rebelião contra a rainha liderada por um importante nobre protestante, *sir* Thomas Wyatt, com o envolvimento do pai de Jane.

O Conselho de Mary a pressionou, e a rainha relutantemente concordou. Na noite de 7 de fevereiro, *lady* Jane foi avisada para se preparar para a morte. A execução seria dali a dois dias, mas Mary ofereceu Jane a chance de um adiamento caso ela se convertesse ao catolicismo. Mary enviou Richard de Feckenham, abade de Westminster, para conversar e rezar com Jane, mas ela permaneceu inflexível em suas convicções protestantes. Às 10 horas da manhã de 12 de fevereiro de 1554, *lady* Jane andou a curta distância até a Torre Green, sobriamente vestida de preto e lendo seu livro de orações. Então, recitou um salmo, antes de ser vendada e ajoelhar-se em frente ao bloco de execução. Ela deitou a cabeça calmamente para que o carrasco fizesse seu trabalho. Mais tarde, no mesmo dia, o corpo foi depositado em uma capela na face norte da Torre Green, entre Ana Bolena e Catarina Howard. Os restos de Seymour e Dudley, os homens que dominaram o curto reinado de Eduardo VI, estavam ali perto. Um episódio curto, mas dramático na história dos Tudors chegava ao final.

VI

BLOODY MARY

A VIDA E O REINADO DE UMA SOBERANA QUE SUBIU AO TRONO COM UMA DEMONSTRAÇÃO DE FIRMEZA IMPRESSIONANTE E QUE, MOVIDA POR SUAS CRENÇAS RELIGIOSAS, SE TORNARIA UMA TIRANA ODIADA POR SEU POVO

Quando ascendeu ao trono, em 1553, Mary Tudor foi recebida com êxtase. Apenas cinco anos depois, passou a ser amplamente odiada e temida. Em seu curto e violento reinado, quase 300 pessoas foram queimadas em nome da religião. A mulher que viria a ser conhecida como "Bloody Mary", no entanto, tentou, de alguma maneira, fazer o melhor por seus súditos. O enigma dessa personagem nunca foi completamente explicado, mas suas raízes estão em sua infância extraordinária e problemática.

"A MAIOR PÉROLA DO REINO"

A princesa Mary nasceu em 18 de fevereiro de 1516, no palácio de Greenwich, filha de Catarina de Aragão e Henrique VIII. Ela não foi a primeira filha de seus pais: a rainha já havia perdido três meninos e uma menina – todos natimortos ou mortos logo após o nascimento –, e o casal real deve ter passado por momentos de ansiedade torcendo pela sobrevivência da preciosa filha. A princesa Mary recebeu as boas-vindas ao mundo com uma esplêndida cerimônia de batismo na igreja dos Frades, próxima ao palácio real.

Para o orgulhoso pai de Mary, sua filha era "a maior pérola do reino", mas isso não significa que ele passava muito tempo com ela. Pelos primeiros anos de sua vida, a princesa veria os pais apenas em ocasiões especiais, quando era apresentada a eles nas melhores roupas. Henrique VIII gostava de carregar a pequena Mary pela sala e se gabava, orgulhoso, de que a linda filha "nunca chorava".

Henrique VIII logo usaria sua "pérola" na diplomacia. Quando ela tinha 2 anos, um "tratado de paz universal" com a França foi concluído e selado com a promessa de que a princesa se casaria com o delfim.

O contrato de casamento durou apenas quatro anos. As relações diplomáticas com a França mudaram e a princesa foi prometida para o primo de sua mãe, o imperador do Sacro Império Carlos V,

Retrato de Mary I da Inglaterra, *óleo sobre painel*, Antonis Mor, séc. XVI

então com 22 anos. Dessa vez, Mary, com 6 anos, se apresentou diante do embaixador do imperador, dançando elegantemente, e um relatório bastante elogioso foi enviado de volta a Carlos V. A pequena princesa tinha uma afeição tocante pelo futuro marido, mandando-lhe presentes e cartas afetuosas. A união entre eles nunca se concretizou (mais tarde, ela se casaria com o filho dele), mas a ligação entre ambos durou até a morte dele, com Mary recorrendo ao imperador católico para apoio e conselhos.

Mary recebeu uma educação rigorosa e completa, que lhe deu uma base sólida de conhecimentos dos clássicos e de escritura. Ela aprendeu que meninas deveriam passar o tempo na companhia de mulheres virtuosas. Os homens deveriam ser evitados sempre que possível, assim como qualquer romance ou indecências, e garotas adolescentes deveriam se empenhar em "refrear o corpo e apagar o fogo da juventude". Vista com olhos modernos, a educação pré-escolar de Mary deve ter-lhe dado uma sensação de desamparo e dependência que a atrapalharia na vida adulta.

A INOCÊNCIA DE MARY

Uma das aias de Mary relatou que a rainha fora "criada de tal modo que não conhecia palavras sujas ou vis", um fato ilustrado por um incidente ocorrido quando Mary estava na casa dos 30 anos. A rainha ouviu por acaso seu lorde camareiro chamar uma de suas outras damas de honra de "bela prostituta". Mais tarde, no mesmo dia, ela exclamou à mesma criada: "Deus lhe pague, minha bela prostituta!". Quando a dama lhe implorou que não usasse palavra tão chocante, a rainha ficou horrorizada. Ela nunca escutara a palavra antes e não fazia ideia de seu significado.

Retrato de Mary I, óleo sobre painel, Mestre John, 1544, Galeria Nacional de Retratos, Londres

A jovem princesa Mary se mostrou uma aluna capaz e uma criança obediente, mas herdou a paixão do pai por cavalgadas, caçadas e falcoaria. Como Henrique VIII, ela gostava de música e dança.

A jovem princesa deve ter se dado conta de que não era o filho que seu pai desejava, e, com o passar dos anos, o problema da falta de um herdeiro masculino fazia cada vez mais sombra sobre a família real. Um dos papéis mais importantes do herdeiro do trono era atuar como príncipe de Gales, e, quando Mary tinha 9 anos, seu pai decidiu dar um passo sem precedentes. No verão de 1525, Mary foi enviada ao castelo de Ludlow para presidir a própria corte. Pelos 18 meses seguintes, ela assumiu o papel de princesa de Gales (apesar de nunca ter sido formalmente investida). Enquanto seu Conselho decidia

Em detalhe da primeira Bíblia escrita em inglês, em 1535, Henrique VIII segura uma espada e apresenta o livro a bispos

assuntos de justiça e taxação, a jovem princesa treinava para o papel de soberana, com uma consciência cada vez maior de que um dia poderia vir a ser rainha.

Mary ficou em Ludlow até logo após seu 11º aniversário, quando ameaças de uma rebelião galesa forçaram a dissolução do Conselho Real. Houve também grandes mudanças na corte inglesa – eventos que virariam a infância de Mary de ponta-cabeça. Henrique VIII iniciara sua campanha para anular o casamento com Catarina de Aragão e casar-se com Ana Bolena.

No verão de 1527, o rei informou à rainha sua intenção de se divorciar dela. Os cinco anos seguintes foram um período terrível para Mary, forçada a testemunhar a rejeição do pai à sua mãe. A princesa que fora a queridinha da corte agora raramente via o rei, mas passava longas horas com sua aflita mãe, assistindo à luta desesperada da rainha para manter sua dignidade. Entre 11 e 17 anos, Mary se deparou com uma realidade dura e um futuro incerto: se tornaria a bastarda de Henrique VIII, caso ele conseguisse anular o casamento.

Por alguns meses após o casamento do pai, Mary permaneceu em sua residência real de Beaulieu, mas essa independência não duraria. A rainha Ana era sabidamente vingativa e estava determinada a humilhar a enteada. O nascimento de sua filha deu a ela a ocasião perfeita para punir Mary. Um mês após o nascimento do bebê, Mary perdeu o título de princesa e foi-lhe ordenado que se mudasse para Hatfield House, onde serviria como dama de honra da infanta princesa Elizabeth.

HORROR EM HATFIELD HOUSE

Alguns dias antes do natal de 1533, Mary foi levada a Hatfield. Agora chamada simplesmente de "*lady* Mary", ela fora privada da companhia da maioria de suas damas, incluindo a mulher que via como mãe postiça, Margaret Pole, condessa de Salisbury. A chegada de Mary seria descrita por Eustache Chapuys, embaixador do Sacro Império, como "a pior recepção da casa".

Chapuys temia os "maus desígnios" dos novos criados de Mary – e não estava errado. Uma batalha logo se estabeleceu quando ela adotou uma postura de dignidade determinada, enquanto os agregados da princesa Elizabeth promoviam uma campanha deliberada para humilhá-la. Em todas as ocasiões, Mary se recusava a responder quando chamada de "*lady* Mary" ou a se referir à sua meia-irmã como princesa. Por isso, foi punida com o confisco de joias e roupas.

A maior das perseguidoras era sua "governanta", *lady* Shelton, tia de Ana Bolena, que passou a xin-

Obra retrata parte da família Tudor junto a seres mitológicos: Henrique VIII, ao centro, com Marte, deus da guerra; Filipe II e Mary I à esquerda. À direita, estão Eduardo VI e a rainha Elizabeth de mãos dadas com a "paz", seguida pela abundância

---

A família de Henrique VIII: uma alegoria da sucessão Tudor, óleo sobre painel, Lucas de Heere, c. 1572

gar e chegou a estapear Mary quando ela se disse uma "princesa de verdade". Qualquer um que a tratasse com bondade e respeito era dispensado. O mais doloroso eram as visitas do pai a Elizabeth, precedidas por ordens para que sua filha mais velha fosse trancada.

Duas semanas antes de seu 19º aniversário, Mary adoeceu seriamente. Os sintomas incluíam dores estomacais e depressão, que a perseguiriam pelo resto da vida. Enquanto estava acamada, devastada pela dor e pela febre, houve boatos de que estaria sendo envenenada. Henrique VIII decidiu tirá-la de Hatfield. Instalada no palácio real de Greenwich, logo começou a se recuperar.

Mary ainda convalescia quando recebeu notícias muito inquietantes. Em 12 de janeiro de 1536, *lady* Shelton informou-lhe, "sem cerimônias", que sua mãe estava morta. Fazia mais de três anos que Mary vira Catarina pela última vez, e não lhe foi permitido comparecer ao funeral da mãe. Ao mesmo tempo, chegaram a ela relatos de que Henrique VIII e Ana Bolena estavam dando festas públicas para comemorar.

O futuro de Mary parecia sombrio, mas, no espaço de quatro meses, Ana Bolena foi executada e Henrique VIII tomou Jane Seymour como sua nova esposa.

MARY VOLTA À CORTE

A atitude de Jane Seymour para com Mary era em tudo oposta à de Ana Bolena. Com pureza de alma, ela pressionou pela reaproximação de Henrique VIII com a filha. Em meados do verão de 1536, Mary foi convocada ao primeiro encontro com o pai em cinco anos, cavalgando durante a noite para encontrá-lo em uma casa nos arredores de Londres.

Deve ter sido um encontro emocionante. Henrique se viu defronte de uma mulher que parecia notavelmente inteligente, de 20 anos, com olhar penetrante, expressão determinada e uma voz grave e poderosa. Do meio da tarde até o pôr do sol, pai e filha ficaram juntos, nas palavras de um observador, "conversando reservadamente com amor e afeto". Henrique VIII, relata-se, expressou profundo arrependimento por ter ficado afastado de Mary por tanto tempo.

Entretanto, o retorno de Mary à corte foi atrasado por vários meses, enquanto o pai completava sua viagem anual de caça de verão. Nesse meio-tempo, Mary, livre da repugnante presença de *lady* Shelton, começou a apreciar a companhia de Elizabeth, então com quase três anos.

Mary ansiava pelo fim de seu exílio, mas ainda havia um grande obstáculo em seu caminho. O rei insistia que, primeiro, ela deveria assinar um documento reconhecendo o casamento de sua mãe como incestuoso e ilegal. Sob uma tremenda pressão, ela capitulou, mas nunca se perdoou por trair a memória da mãe.

Quando Mary se juntou ao rei Henrique VIII e à rainha Jane naquele Natal, o povo inglês se rejubilou. A união familiar, porém, teve vida curta. Outubro trouxe o nascimento do príncipe Eduardo, rapidamente seguido pela morte da rainha, e Mary se viu como a pessoa mais desolada no funeral de Jane. Henrique VIII mergulhou em uma exigente rodada de deveres diplomáticos, e Mary estabeleceu uma rotina, combinando suas devoções e prazeres seculares, como cavalgar, caçar e jogar cartas.

Em suas caminhadas diárias, Mary carregava uma bolsa cheia de moedas, pronta para dá-las a qualquer pessoa necessitada, e era especialmente generosa com freiras, monges e padres pobres. Embaixadores que visitaram Mary nessa época se impressionavam com sua pele fresca e sua aparência jovem, mas admiravam acima de tudo sua "grande bondade e discrição". Em resumo, ela era uma noiva muito desejável, mas, como princesa ilegítima, sua posição era ambígua. Henrique VIII não queria casá-la, para evitar que o marido tentasse reivindicar o trono de seu filho e herdeiro.

"NA FALTA DE UMA RAINHA..."

Henrique VIII não foi tão comedido na própria vida conjugal. Em janeiro de 1540, casou-se com Ana de Cleves, rapidamente sucedida por Catarina Howard. Mary teve pouco contato com Ana, apesar de ser bem-vinda em sua corte, mas as relações com Catarina se mostraram um pouco mais complicadas. Mary tinha apenas 5 anos a mais que Catarina e tinha várias razões para não gostar dela. Além de a garota ter parentesco com a odiada Ana Bolena, seus modos extravagantes eram repugnantes para a pudica filha de Henrique VIII. Catarina, porém, logo foi enviada para a Torre e o rei estava solteiro novamente.

O período que se seguiu à execução de Catarina marcou um ponto baixo para Henrique VIII. Àquela altura, ele estava obeso, mal-humorado e doente e se voltava cada vez mais para a filha mais velha em busca de conforto e companhia. O rei a convidou para supervisionar as celebrações de Natal, "na falta de uma rainha". O casamento de Henrique VIII com Catarina Parr deve ter sido um bem-vindo alívio para Mary, que via na sexta esposa do pai uma mulher inteligente, piedosa e de bom senso.

Nos últimos quatro anos da vida de Henrique VIII, Mary esteve frequentemente na corte, na companhia do rei, da rainha, de *lady* Elizabeth e do príncipe Eduardo. A rainha Catarina se tornou próxima de Mary, e ela também apreciava as companhias de Elizabeth e Eduardo. Nesses poucos anos preciosos, Mary conviveu com seus irmãos de um modo que nunca fora possível. No entanto, à medida que a morte de Henrique VIII se aproxima, os filhos devem ter percebido que sua amizade seria duramente testada. Quando o jovem rei Eduardo subisse ao trono, poderia enfrentar uma rebelião vindo das reivindicações rivais de Mary ou Elizabeth. Era horrivelmente claro que a "mais amada irmã" de Eduardo, como ele a chamou uma vez, seria uma grande ameaça à sua segurança como rei.

Henrique VIII morreu um mês antes do 31º aniversário de Mary. Eduardo foi coroado rei e Mary tomou a precaução de se retirar para East Anglia. Onde quer que ela parasse, sua companhia sempre incluía um padre e sinos eram tocados para chamar o povo local para a missa, criando uma pequena comunidade católica romana em seus arredores.

PRINCESA CATÓLICA NO REINO PROTESTANTE

À medida que a Inglaterra sob Eduardo VI se movia inexoravelmente rumo ao protestantismo, Mary intensificava suas devoções, assistindo a até quatro missas por dia. Ela recebia constantes visitas de embaixadores do imperador do Sacro Império. Mary sempre vira o imperador Carlos V como uma figura paterna e um protetor. Agora, encorajada por ele, começava a acreditar que seu destino pessoal era manter a fé católica viva na Inglaterra.

Mary recebia mensagens do Conselho Real instruindo-a a não mandar rezar missas. E, em 1549, sua adesão à fé antiga tornou-se um delito. O novo Ato de Uniformização, de Eduardo VI, tornou a missa ilegal, substituindo-a por serviços do *Livro de oração comum*. No dia em que ficou sabendo do ato, Mary ordenou a seus capelães que celebrassem uma missa especialmente solene em sua capela em Kenninghall, Norfolk. Ela escreveu a Carlos V anunciando: "Na vida ou na morte, não abandonarei a religião católica".

Um desafio tão perigoso não poderia ficar impune por muito tempo. Em 1549, John Dudley tomou de Eduardo Seymour o controle sobre o rei, e o perigo para Mary aumentou. Ele a acusou de estar no centro de uma série de levantes contra o governo. Ela era inocente de todas as conspirações, mas desenvolvera um plano de fuga para o continente e a proteção do imperador Carlos V. Os planos não foram postos em prática, mas ela chegou a passar alguns dias de agonia na costa de Kent, indecisa sobre se deveria embarcar em navios imperiais que a aguardavam no canal.

Onde seu Conselho havia falhado, Eduardo VI acreditava que teria sucesso. Aos 13 anos, começou a emitir uma série de cartas e decretos dirigidos à irmã. Reprovações tão duras vindas de seu amado irmão causaram a Mary grande sofrimento pessoal, mas não conseguiram abalar sua resolução. Mesmo quando Eduardo VI enviou oficiais à casa de Mary para prender todos os envolvidos em práticas católicas, ela ainda o desafiou, escondendo um de seus padres. Parecia que a guerra de convicções continuaria indefinidamente – até que a doença de Eduardo VI mudou tudo.

Em fevereiro de 1553, havia numerosos rumores sobre a saúde debilitada do rei, e Mary estava determinada a descobrir por si mesma a verdade. Pondo em risco a própria segurança, ela viajou até Londres, onde esperou por três dias até ser-lhe permitido ver o rei.

Ele estava obviamente morrendo, e ela falou gentilmente com ele, evitando qualquer discussão sobre religião. Mary ficou muito entristecida, mas também estava preocupada com a própria segurança. Sendo a próxima na linha sucessória ao trono, ela era um empecilho para as ambições de Dudley.

REIVINDICANDO A COROA

Mary estava em Hertfordshire quando recebeu uma mensagem convocando-a ao pé do leito do irmão moribundo. Antes de chegar a Greenwich, porém, foi aconselhada a manter distância. Então, rumou para o leste, para Norfolk. À época de sua chegada, em 9 de julho, os eventos se sucederam rapidamente. Eduardo VI morrera havia três dias, e o filho de Dudley fora enviado para capturá-la. Mary respondeu decisivamente, declarando-se a legítima rainha da Inglaterra diante de seus agregados e enviando uma mensagem a Dudley, ordenando-lhe que a proclamasse monarca. Enquanto isso, outros mensageiros foram despachados por toda a East Anglia "para chamar os senhores do reino em redor para prestar fidelidade à sua soberana".

A mensagem de Mary chegou à Torre de Londres no momento em que Dudley dava um banquete para a rainha Jane. Quando foi lida em voz alta, causou grande consternação entre os conselheiros. Eles acreditavam que Mary seria facilmente capturada, mas agora ela mostrava que eles estavam errados. Ainda assim, poucos acreditavam que ela poderia vencer Dudley. Até o imperador Carlos V temia esse desafio e pediu a seus embaixadores que a persuadissem a se submeter à rainha Jane.

Stephen Gardiner: político hábil que saiu direto da Torre para ser chanceler de Mary I

Retrato de Stephen Gardiner, *óleo sobre painel*, Quentin Matsys, c. 1510

Mary, porém, colocara um processo em marcha. Horas após sua proclamação, senhores e plebeus reuniram-se em seu apoio, e, em 12 de julho, ela estava reunindo suas forças no castelo de Framlingham, próximo a Suffolk. Quando chegaram relatos de que Dudley estava liderando um exército contra ela, Mary estava pronta para resistir. Seus apoiadores somavam cerca de 15 mil e, uma a uma, as cidades do sudeste começaram a proclamá-la rainha.

Em 16 de julho, os apoiadores de Mary chegaram a 30 mil. Em 18 de julho, Dudley foi forçado a admitir a derrota. No dia seguinte, Mary foi proclamada rainha em Londres, em meio a celebrações animadas, fogueiras e badalo de sinos. Com crença inabalada em sua causa, Mary praticamente operara um milagre e, em 3 de agosto de 1553, entrou triunfalmente em Londres.

A RAINHA MARY

Após a turbulência dos últimos anos, o povo estava preparado para aceitar de coração a rainha Mary I, mas ninguém fazia ideia de que tipo de governante ela viria a ser.

Na verdade, os ingleses quase não tinham experiência em serem governados por uma mulher. A única no comando fora a rainha Matilda, ainda no século XII, e as pessoas lembravam com horror do seu reinado caótico como uma época em que "Deus e seus santos dormiam".

Na sociedade dos Tudors, as mulheres não eram vistas como figuras de autoridade, e uma mulher solteira como ela estava em grande desvantagem na corte. Ainda assim, a rainha possuía algumas qualidades genuínas. Ela era virtuosa, gentil, honesta, afetuosa e consciente. No entanto, estava perigosamente convencida de que Deus estava a seu lado.

Apesar da oposição dos protestantes ingleses, Mary I se casou com o espanhol e católico Felipe

Mary I da Inglaterra e Felipe II da Espanha, *artista da escola inglesa, séc. XVI*

Nos primeiros meses de reinado, seu lado gentil foi o mais aparente. Ela se recusou a punir a maioria dos que se envolveram na proclamação de *lady* Jane como rainha. Quando Dudley foi executado, seus seguidores receberam apenas uma censura branda. Mary insistia que Jane era inocente, deixando claro que ela deveria permanecer na Torre apenas por um curto período, até que fosse a hora certa de libertá-la. Mary fez questão de assegurar ao seu povo que ele não seria perseguido por professar sua religião protestante (posição que ela abandonaria mais tarde), ao menos até que o Parlamento estivesse pronto para promover uma mudança ordenada. Enquanto isso, a corte real dava o exemplo na observância tradicional, com a celebração de sete missas por dia na capela da rainha, enquanto os padres voltavam a celebrar os serviços católicos romanos em sua forma tradicional.

Todas essas mudanças não ocorreram sem oposição; protestos acalorados foram vistos por todo o país. A religião dividia os conselheiros de Mary I, que brigavam entre si constantemente, tornando quase impossível a tomada de decisões. Nas primeiras semanas de reinado, ela nomeou Stephen Gardiner como chanceler e chefe do Conselho. Gardiner fora bispo de Winchester na época de Henrique VIII e passara a maior parte do reinado de Eduardo VI trancado na Torre, até ser libertado pela rainha. Político habilidoso, ele fazia valer sua vontade com impiedosa eficiência, mas em consequência fez muitos inimigos no Conselho e no país.

CASAMENTO E REBELIÃO

Desde o início do reinado de Mary, uma questão importante estava na boca de todos: a rainha pretendia ter um marido? Caso positivo, quem seria? Vários candidatos foram sugeridos, incluindo Eduardo Courtenay, jovem nobre com ligações reais, que seria um marido adequado, mas inofensivo, para a rainha. Entretanto, Mary tinha apenas um homem em mente. Ela ansiava por um acordo com o príncipe Felipe da Espanha, filho de seu protetor de longa data, o imperador do Sacro Império. Aos 27 anos, Felipe era 11 anos mais novo que Mary e, por todos os relatos, um jovem digno, sério... e enfadonho. Seus modos pomposos o tornaram profundamente impopular para o povo espanhol, mas isso não era o que mais preocupava os conselheiros de Mary. Como herdeiro do império Habsburgo, Felipe deveria herdar do pai o controle total da Espanha e da Holanda, assim como grandes partes do Novo Mundo. Se Mary se casasse com ele, a Inglaterra corria o risco de se tornar uma parte insignificante dos vastos domínios dos Habsburgos. Ainda mais preocupante, seria governada por um monarca católico com laços muito próximos com o papa – uma perspectiva impensável para os protestantes ingleses.

Contra esse cenário, Mary buscou seu sonho obstinadamente. Em 8 de novembro de 1554, anunciou a intenção de se casar com Felipe. O clamor do público contra o "Juan espanhol" foi imediato, com alguns protestantes importantes anunciando que preferiam morrer a deixar os espanhóis controlar seu país. O Parlamento enviou uma delegação à rainha, implorando-lhe que se casasse com um inglês. Mary, porém, permaneceu inflexível, e, em janeiro, um tratado de casamento com o imperador Carlos V foi concluído. O anúncio do tratado causou desalento geral e quatro nobres resolveram tomar atitudes drásticas. *Sir* Thomas Wyatt, de Kent; *sir* James Crofts, de Herefordshire; *sir* Peter Carew, de Devon, e Henry Grey, de Leicestershire (pai de Jane Grey), se prepararam para organizar rebeliões, cada um em sua área, pretendendo convergir em Londres. O objetivo final dos conspiradores era substituir Mary por sua meia-irmã Elizabeth, que se casaria com Eduardo Courtenay. Enquanto isso, uma frota de navios franceses evitaria que Felipe da Espanha chegasse à Inglaterra pelo mar.

Tudo ia bem até que Simon Renard, embaixador do imperador na Inglaterra, começou a suspeitar de algum tipo de conspiração. Ele relatou suas suspeitas a Stephen Gardiner, que interrogou Courtenay até ele revelar os planos. Três dos rebeldes abandonaram as tentativas, mas Wyatt continuou determinado a liderar um levante. Em 26 de janeiro de 1554, ele e um bando de apoiadores ocuparam Rochester. Dali, ele emitiu uma proclamação ao povo de Kent, que se juntou a ele. Os apoiadores de Mary conseguiram, inicialmente sufocar a rebelião, mas, gradualmente, os integrantes do exército legalista se juntaram aos rebeldes de Wyatt. No final de janeiro, ele tinha 3 mil homens sob seu comando.

Quando Mary se voltou ao seu Conselho em busca de ajuda, encontrou pouca guarida e muito conflito. Enquanto alguns de seus conselheiros se mantinham preocupantemente quietos, outros chegaram a pedir à rainha que fugisse. Mary, entretanto, permaneceu resoluta ante o perigo. Em 1º de fevereiro, fez um discurso inflamado em Guildhall, lembrando os súditos de seu dever de fidelidade e obediência ao soberano e assegurando-lhes que contemplava o casamento apenas como uma forma "de deixar algum fruto do meu corpo depois de mim para ser seu governante". Foi um discurso vibrante, e milhares saíram em seu auxílio.

Mary, porém, ainda não estava fora de perigo. Na manhã de sábado, 3 de fevereiro, o exército de Wyatt chegou a Southwark, onde não encontrou grande resistência, mas, quando os homens se prepararam para cruzar o rio Tâmisa, descobriram que os apoiadores de Mary haviam ocupado a Ponte de Londres, evitando que os rebeldes a cruzassem e entrassem na cidade. Enquanto isso, *sir* John Bridges ameaçava usar os canhões na Torre contra Southwark. Confrontado com o perigo de ser bombardeado, Wyatt decidiu marchar para Kingston, onde os rebeldes tiveram de reconstruir uma ponte antes que pudessem atravessar o rio. Ao chegar ao norte do Tâmisa, Wyatt buscou passagem, mas se viu bloqueado e acabou forçado a recuar. Quando descobriu que as rotas de fuga também estavam ocupadas por homens leais a Mary e para evitar mais derramamento de sangue, Wyatt se rendeu. Ao cair da noite, seu exército rebelde havia se dispersado.

Wyatt foi julgado e executado com 90 outros conspiradores, e seus corpos em decomposição foram deixados pendurados nas forcas como um exemplo macabro. Outros tiveram mais sorte. Amarrados e com cordas no pescoço, andaram em fila dupla até o terreno onde eram disputadas as justas em Westminster. Ali, se ajoelharam na lama em frente a Mary. Ela os perdoou e, em seguida, as cordas foram cortadas e arrancadas em cerimônia pública de expiação e absolvição. *Lady* Jane Grey também foi pega pela onda de vingança quando Mary decidiu, relutante, que ela e seu marido deveriam ser mortos. O pai de Jane tivera papel destacado na conspiração, e ela poderia ser um foco perigoso a inspirar rebeliões futuras.

Se Jane Grey era uma ameaça à segurança de Mary, Elizabeth era muitas vezes mais perigosa. Quando chegou pela primeira vez a Londres como rainha, Mary entrou na cidade com Elizabeth ao seu lado. À medida que sua popularidade caía, porém, ia sendo persuadida por seus conselheiros a ver a meia-irmã como uma ameaça. Elizabeth era protestante, e a validade desse argumento ficou terrivelmente explícita quando se soube que alguns dos rebeldes de Wyatt haviam pedido apoio a ela.

Sufocada a revolta, Elizabeth foi convocada pelo Conselho. Ali, ela astutamente conseguiu se distanciar de qualquer envolvimento com os planos de Wyatt. Parecia que ela era inocente, mas ficou aprisionada na Torre pelos três meses seguintes, antes de ser enviada ao palácio de Woodstock, próximo a Oxford, onde passaria o ano seguinte em prisão domiciliar.

A rebelião de Wyatt não conseguiu evitar o casamento de Mary. No final de julho de 1554, o príncipe Felipe chegou à Inglaterra para conhecer a futura noiva. Em seu primeiro encontro, ele se portou com perfeita galhardia, apesar de posteriormente descrever Mary como "bem mais velha do que nos haviam dito".

Dois dias após o primeiro encontro, Felipe e Mary I se casaram na catedral de Winchester, com uma missa nupcial solene para marcar a ocasião. A cerimônia foi seguida por um banquete esplêndido para os cortesãos espanhóis e ingleses, mas suas muitas diferenças de idioma e cultura evitaram que o evento fosse um grande sucesso. O casal real também não parecia ter muito o que dizer um ao outro. Na manhã seguinte ao casamento, Felipe levantou-se às sete e trabalhou em sua mesa até as onze, quando foi à missa e almoçou sozinho.

Rainha Mary I, aquarela em papel velino, atribuída a Lucas Horenbout, c. 1525

Três meses após o casamento, Mary anunciou que estava grávida. As boas-novas levaram a um abrandamento da atitude do povo para com Felipe, apesar de também suscitar dúvidas sobre seu status oficial. Ele agora pressionava para ser coroado rei da Inglaterra, mas Mary resistia, reconhecendo que, para seus súditos, isso seria ir longe demais. Felipe estava desesperado para ir para Flandres, onde os franceses ameaçavam seus territórios, mas resolveu ficar na Inglaterra até o nascimento do filho. Na semana da Páscoa de 1555, a rainha viajou para Hampton Court a fim de confinar-se enquanto todos esperavam com ansiedade, prevendo um parto difícil.

Ao final de abril, no entanto, ainda não havia notícias, e alguns rumores preocupantes começavam a circular. Vira-se que a barriga da rainha estava bem menor que antes. Poderia ela ter se enganado e nunca ter estado grávida, afinal?

POR QUE MARY ACREDITOU QUE ESTAVA GRÁVIDA?

Segundo relatos da época, Mary exibiu vários sintomas indicando que ela estava grávida, incluindo a interrupção da menstruação, a barriga inchada e um pouco de leite saindo dos seios. Alguns desses sintomas podem ser atribuídos à amenorreia, uma condição médica de que ela sofria desde a adolescência, que causa menstruações dolorosas e irregulares e o inchaço do abdômen e dos seios. Alguns historiadores sugerem que ela pode ter passado por uma "gravidez psicológica", com uma gama de sintomas psicossomáticos induzidos pela crença histérica de que estava esperando um bebê. Outros consideram que ela poderia ter um distúrbio na glândula pituitária.

Com as semanas se arrastando sem que a rainha desse à luz, a vergonhosa verdade ficou aparente. De alguma forma, Mary e seus médicos se enganaram sobre a gravidez. Passados os nove meses, a maioria dos sintomas havia desaparecido e, em agosto, ela deixou Hampton com o mínimo possível de cerimônia pública, determinada a se concentrar na tarefa urgente de governar o país.

BLOODY MARY

Quando Mary estava com um mês de sua gravidez imaginária, o cardeal Reginald Pole chegou de Roma, assinalando o início de fato do programa de reforma católica da rainha. Em 25 de novembro de 1554, o Parlamento revogou o Ato de Supremacia de Henrique VIII e, em 18 de dezembro, revalidou as leis medievais de heresia. Essas leis davam aos bispos o direito de entregar às autoridades seculares qualquer pessoa suspeita de heresia para queimar na fogueira.

A culpa pela orgia de imolações que se seguiu deve ser inapelavelmente atribuída a Mary. A maior parte de seus conselheiros, incluindo o marido, insistia para que agisse com cautela, mas ela tinha a crença arraigada de que os hereges estavam destinados a uma eternidade no fogo do inferno. Certamente, ela raciocinava, era melhor que alguns queimassem aqui na terra como um exemplo para

Com o pai envolvido no levante contra a rainha, *lady* Jane Grey foi condenada à morte

Execução de *lady* Jane Grey, óleo sobre tela, Paul Delaroche, 1833, Galeria Nacional, Londres

os demais. Convicta, Mary cobrava às autoridades diligência na caça à heresia e em sua punição com a morte.

As primeiras execuções ocorreram em fevereiro de 1555, quando uma comissão encabeçada pelo bispo Gardiner condenou cinco pessoas à morte por heresia. Entre os primeiros a serem queimados estava John Hooper, bispo de Gloucester, que sofreu uma morte agonizante. O saco de pólvora amarrado no pescoço, cuja intenção era acelerar sua morte quando explodisse, não pegou fogo e ele queimou por três quartos de hora, implorando à multidão que atiçasse as chamas e pusesse fim a sua agonia. A valentia com que os mártires suportaram sua punição levou a uma comoção pública que firmaria a resolução do povo em se manter fiel à sua fé protestante. Nos três anos seguintes, 240 homens e 60 mulheres morreriam na fogueira.

Alguns dos protestantes condenados a serem queimados vivos eram figuras muito conhecidas, como o ex-arcebispo Thomas Cranmer e os bispos Hugh Latimer e Nicholas Ridley, mas a maior parte deles eram trabalhadores e comerciantes pobres e ignorantes. Essas infelizes vítimas costumavam ser condenadas à morte pelos fanáticos católicos simplesmente por não saberem recitar o pai-nosso. Houve até mártires cegos ou deficientes, e uma mulher estava grávida. Enquanto ela agonizava, o filho nasceu – apenas para ser atirado de volta às chamas.

Enquanto mártires protestantes queimavam nos mercados ingleses, outras mudanças ocorriam nos ritos religiosos. Serviços e dias festivos católicos foram reintroduzidos, párocos, proibidos de se casar e o *Livro de oração comum*, de Cranmer, foi banido. Esse cenário levou a um fluxo de emigração de protestantes atravessando o canal em busca de santuário na Suíça e na Alemanha.

Dois dos primeiros exilados foram impetuosos escoceses, o pregador John Knox, crítico aberto da rainha, e o historiador John Foxe, que posteriormente compilaria o *Livro dos mártires*, detalhando os horrores do reinado de Mary. As prensas alemãs despejavam propaganda contra a rainha e panfletos chamando-a de Jezebel e de vadia papista eram contrabandeados para a Inglaterra, enquanto baladas eram compostas em honra dos mártires.

Nessa atmosfera de crescente ressentimento, o ambiente estava carregado de rumores de planos para derrubar a rainha. Nos últimos dias de 1555, Mary escreveu a Felipe dando conta de que "estava cercada de inimigos e não podia se mover sem pôr em risco sua coroa".

MARY E A DERROTA EM CALAIS

Quando chegou aos 40 anos, Mary era uma mulher profundamente decepcionada. Sua campanha para eliminar a heresia não apenas a tornara universalmente odiada, como conseguira deixar os protestantes ainda mais resolutos. Em 1557, abadias, conventos e santuários ainda estavam em ruínas; nas igrejas faltavam velas, livros de reza e vestimentas, e muitos párocos eram casados e não sabiam latim. Após três anos no trono, Mary perdera o amor e o apoio dos súditos, enquanto *Lady* Elizabeth tomava seu lugar nos corações do povo inglês.

A rainha teve também de lidar com uma tristeza pessoal. Após o fiasco da falsa gravidez, o príncipe Felipe fora para a Holanda e permanecera fora desde então. Suas cartas frequentes ao marido ficavam sem resposta, e havia rumores de que ele estava vivendo uma vida de mulherengo.

Ante essas decepções, a rainha se fechou numa rotina de devoção e atos de caridade. Ela se tornou conhecida por suas visitas aos pobres, quando se vestia com muita simplicidade e parecia cheia de preocupação. Deveres autoimpostos, combinados com uma abordagem disciplinada de seu trabalho com o Conselho Real, tiveram um efeito prejudicial à sua saúde, e ela comumente sucumbia a febres e depressão.

No outono de 1556, Mary soube que o marido planejava visitar a Inglaterra. Ela ficou encantada com a expectativa, mas deve ter percebido que os motivos eram puramente políticos. Ele herdara o título de rei da Espanha e planejava uma guerra contra a França, para a qual precisaria do apoio da Inglaterra.

O rei Felipe finalmente chegou em março de 1557, e a rainha ordenou que todos os sinos de Londres deveriam tocar para dar-lhe as boas-vindas à sua casa. A reunião de Felipe e Mary foi cheia de dificuldades. Ambos haviam envelhecido perceptivelmente, e a comitiva de Felipe incluía sua amante mais recente. Apesar dessas tensões evidentes, Mary estava ansiosa para agradar o marido e sucumbiu à pressão para entrar em guerra com a França. Mesmo com seu Conselho se opondo fortemente a um conflito que poderia atrapalhar o comércio e falir a Coroa, Mary prevaleceu e prometeu o apoio inglês ao marido, motivando uma tormenta de sentimento anti-hispânico no país.

Em 6 de julho, Mary se despediu calorosamente do marido, que rumava para a França. Com o apoio das forças inglesas que alistara, a campanha francesa de Felipe se mostrou um sucesso. Em agosto, ele capturou a cidade de St.-Quentin, tomando muitos nobres franceses distintos como prisioneiros. A vitória foi seguida por alguns ganhos menores e por um tratado diplomático satisfatório. Em outubro, Felipe ordenou à maior parte de suas tropas que se dissolvesse, mas o rei Henrique II ainda não havia terminado com os ingleses. Ele percebeu o momento perfeito para lançar um ataque ao porto de Calais, a última grande possessão inglesa no continente.

Calais estava mal defendida e o clima gélido favorecia os franceses, que puderam se aproximar pelas águas congeladas dos pântanos em volta. Mary respondeu com a rapidez possível, ordenando que navios levantassem âncoras de Dover, mas os franceses já haviam lançado seu ataque marítimo. Em 13 de janeiro de 1558, a artilharia francesa rompeu as muralhas e tropas da França, em triunfo, tomaram a cidade. A queda de Calais foi seguida pela captura de Guînes e Ham, as outras possessões britânicas na França. A última posição inglesa no continente estava perdida.

O FIM DE UM REINADO

Para Mary, a queda de Calais foi devastadora. Uma vez mais, porém, a rainha achava que estava grávida. Dessa vez, demorou a avisar Felipe até ter certeza, mas em dezembro ela escreveu que havia "sinais bastante claros" de que daria à luz em março. Ciosa do "grande perigo" do parto, Mary escreveu um testamento, deixando a coroa ao nascituro e nomeando Felipe como regente enquanto a criança não atingisse a maioridade.

Em fevereiro de 1558, os conselheiros de Mary a pressionavam a cuidar do problema urgente das finanças do país. Durante seu reinado, a Inglaterra lutava com uma economia em depressão e sérias dívidas, e agora esses problemas haviam aumentado com os custos da guerra na França. A rainha, porém, estava estranhamente alheia, e havia uma sensação de que ela estava deixando o mundo. Para piorar, seu conselheiro mais próximo, o cardeal Pole, também estava definhando rapidamente.

Em maio, nenhum bebê havia nascido e ficou evidente que a barriga dilatada da rainha era o sinal externo de um edema, um acúmulo de líquido sob a pele e dentro do corpo que geralmente leva à falência dos rins. À medida que a doença progredia, a rainha ficou febril e, em agosto, seus médicos previam que ela não viveria muito tempo. Mary morreu na manhã de 17 de novembro de 1558, aos 42 anos. Algum tempo antes de morrer, ela fez a sombria previsão de que, se abrissem seu corpo após a morte, seriam encontradas as palavras "Felipe" e "Calais" inscritas em seu coração.

Nos anos de reinado de Mary, centenas de protestantes morreram na fogueira

Queima do mestre Laurence Sanders em Coventry, *litogravura, escola inglesa, c. 1703*

VII

A JOVEM ELIZABETH

A IMPROVÁVEL FORMAÇÃO DE UMA GRANDE RAINHA: INFÂNCIA ATRIBULADA, ADOLESCÊNCIA SOB O RISCO DA DESONRA E A ASCENSÃO AO TRONO APÓS OS BREVES REINADOS DE EDUARDO E MARY

A princesa Elizabeth nasceu em 7 de setembro de 1533, no palácio real de Greenwich, filha de Henrique VIII com Ana Bolena. Contudo, o nascimento real não trouxe grande júbilo. Henrique sabia que Ana era bastante impopular entre os súditos, mas apostara que ela lhe daria o filho e herdeiro que tanto aguardava. Agora, ele se conformava com a chegada de uma segunda filha.

Não foi um início auspicioso para a criança que se tornaria uma das maiores figuras da monarquia inglesa. Entretanto, conforme foi crescendo, Elizabeth passou a impressionar todos que a conheciam. Quando ascendeu ao trono, aos 25 anos, já havia demonstrado ser uma jovem de inteligência e personalidade excepcionais. Ao final de seus 44 anos de reinado, a "Rainha Virgem" da Inglaterra havia refutado por completo a antiga crença de seu pai de que apenas um homem estaria apto a governar.

A PRINCESA INFANTE

Passadas as celebrações do batismo de Elizabeth, a vida na corte logo voltou ao normal e a princesa infante foi levada para o campo a fim de ser criada com tranquilidade. Um novo lar fora estabelecido no palácio de Hatfield, em Hertfordshire, ao norte da capital. Lá, a jovem princesa foi colocada sob os cuidados de duas damas: *lady* Margaret Bryan e *lady* Anne Shelton, tia de Ana Bolena. No total, o agregado familiar de Elizabeth era formado por cerca de 20 pessoas, incluindo amas de leite, embaladoras, lavadeiras, um tesoureiro e diversos camareiros. Também instalada em Hatfield estava uma hóspede bastante descontente: a meia-irmã de Elizabeth, princesa Mary, então com 17 anos.

Sempre que a agenda real lhes permitia, Henrique e Ana iam a Hatfield ver a filha. Elizabeth, porém, não chegara aos 3 anos quando a mãe foi executada por traição e ela foi declarada ilegítima. A jovem Elizabeth deve ter sentido falta das glamourosas visitas da mãe e, certamente notou quando

Rainha Elizabeth em traje de coroação, *óleo sobre painel, artista inglês anônimo, c. 1559-1600, Galeria Nacional de Retratos, Londres*

as pessoas ao redor pararam de tratá-la por "princesa". As finas roupas que lhe eram presenteadas também pararam de chegar. Três meses depois da morte de Ana, Margarete Bryan escreveu a Cromwell, lamentando-se e suplicando que fornecesse vestuário para *lady* Elizabeth, uma vez que ela não tinha "nem vestidos, nem saias, nem anáguas".

CRESCENDO NA CORTE

Nem 15 dias haviam se passado desde a morte de Ana Bolena, e Henrique casou-se com Jane Seymour. A nova esposa do monarca era gentil e incentivava-o a ver as filhas com regularidade, mas o que de fato mudaria a vida de Elizabeth seria o nascimento de seu irmão, príncipe Eduardo, quando ela acabara de completar 4 anos.

Na tentativa de demonstrar a harmonia familiar, ambas as filhas de Henrique desempenharam papéis importantes no batizado de Eduardo: Mary foi madrinha e Elizabeth carregou o precioso véu batismal que envolveria a cabeça do príncipe. Tendo assistido à cerimônia nos braços de seu tio Eduardo Seymour, Elizabeth deve ter notado que seu novo irmão era a criança mais importante do reino agora. Ela por certo se chocou quando, nove dias depois, sua madrasta morreu repentinamente.

No verão de 1537, Catarina Ashley ("Kat") foi nomeada governanta de *lady* Elizabeth, então com 4 anos. Kat se tornaria a acompanhante mais próxima de Elizabeth nos 30 anos que se seguiram. Filha de um erudito e antiquário, Kat pertencia a um círculo culto da burguesia, que apreciava debater as ideias humanistas em voga e determinou-se a instruir Elizabeth na leitura, na escrita e nos conceitos morais. Anos mais tarde, Elizabeth prestou um tributo a seu "grande esforço e empenho em me educar para a leitura e para a honestidade". Kat Ashley forneceu, sobretudo, segurança emocional a Elizabeth, que crescia sem mãe.

Para Kat, a jovem Elizabeth foi uma pupila notavelmente capaz. Impressionado, um visitante relatou que a garota de 5 anos portava-se "com tanta gravidade quanto uma mulher de 40". O erudito Roger Ascham (que depois se tornaria um dos tutores de Elizabeth) também ficou deslumbrado com seu progresso, ainda que instasse Kat a não pressionar demais a jovem. De fato, Elizabeth parecia irrefreável em sua busca por erudição, mas ela era muito mais do que uma simples rata de biblioteca.

Desde cedo, a menina demonstrou gosto pela equitação, caça e falcoaria, assim como pela música e a dança. Ela tocava alaúde e virginal (instrumento da família do cravo), assim como cantava e escrevia músicas. Até os 9 anos, Elizabeth viveu na quietude do campo e passou a maior parte do tempo em Hatfield. Pouco via o pai, e o meio-irmão Eduardo tinha a própria residência, embora os filhos do rei se encontrassem com frequência. Com apenas quatro anos de diferença, Elizabeth e Eduardo eram companheiros naturais: ambos se interessaram pelos estudos de maneira precoce e perderam suas mães muito cedo.

Naqueles anos, Elizabeth deparou-se com duas novas madrastas – Ana de Cleves e Catarina Howard. Nenhuma das esposas deu muita atenção à jovem Elizabeth. Apenas a sexta mulher de seu pai se tornaria uma madrasta que ela poderia admirar e em quem até mesmo confiar. Catarina Parr recebeu todos os filhos de Henrique na corte. Ainda ajudou a estabelecer uma nova rotina para a educação de Elizabeth e Eduardo.

Conforme se aproximava da adolescência, Elizabeth passou a despender mais tempo na corte. Ela era incentivada pela madrasta a participar de debates agitados sobre religião e via Catarina atuar como regente quando o pai partia para a guerra – um valioso exemplo de uma mulher que agia no mundo masculino.

Entretanto, apesar de seus muitos defeitos, Henrique continuava a inspirar a filha mais nova. Quando rainha, Elizabeth recorreu com frequência à memória popular do "Good King Hal" e fez uma tentativa deliberada de seguir o exemplo do pai como monarca todo-poderoso e heroico.

A morte de Henrique já era esperada havia tempos, mas nem por isso ela foi menos arrebatadora para sua filha de 13 anos. Elizabeth estava na companhia do irmão quando recebeu a notícia de que o pai havia morrido e de que Eduardo era o novo rei. Ela se preparou para enfrentar um futuro incerto. Na condição de irmã ilegítima do novo rei, ela sabia que sua posição não estava, de forma alguma, assegurada. Ela deve ter ficado muito agradecida, então, quando sua madrasta Catarina a convidou para viver ao lado dela.

PROBLEMAS ADOLESCENTES

Na primavera de 1547, Elizabeth mudou-se para a casa da abastada rainha viúva Catarina Parr em Chelsea. Lá, ela logo se adaptou à sua nova rotina, dando continuidade aos estudos na companhia da *lady* Jane Grey, então com 9 anos. Todavia, a casa de sua madrasta seria palco de alguns dos incidentes mais perturbadores na vida de Elizabeth.

O tênis real era popular entre os Tudors

Jogo de tênis na França, *gravura*, *séc. XVI*

ESPORTES NA ERA TUDOR

Elizabeth praticava caça e falcoaria sempre que podia, treinava tiro com arco e apreciava longas caminhadas e passeios a cavalo. Como parte de sua rotina diária de exercícios, ela gostava de dançar a galharda, uma dança enérgica com passos rápidos e saltados e pulos extraordinários. Elizabeth gostava também de uma série de esportes de entretenimento, o que incluía justas e rinhas de galo. Outros esportes populares entre os Tudors eram o tênis real, a esgrima e o boliche. Pessoas mais pobres – por vezes vilas inteiras – participavam de jogos quase selvagens de futebol e de arremesso (uma espécie de hóquei de campo).

Havia tempos que Catarina tinha interesse em Thomas Seymour, tio do rei Eduardo, mas ela desistira dele para se casar com Henrique. Agora, porém, Seymour reaparecera na vida de Catarina. Alto, viril e belo, ele era cruelmente ambicioso e tinha olho clínico para as mulheres. Não se conhecem ao certo seus sentimentos em relação à opulenta rainha viúva, mas é provável que eles tenham sido alimentados pela riqueza e pelo prestígio dela. Casaram-se no início do verão e Thomas foi viver na casa de Catarina, com Elizabeth e a guarda dele.

não demorou para que Seymour tomasse liberdades com a adolescente, visitando-a em seu quarto de dormir enquanto ela ainda estava de camisola e assentando palmadas brincalhonas em suas nádegas. Elizabeth ficava em parte excitada e, em parte, aterrorizada. Nessa situação perturbadora, os mentores de Elizabeth decepcionaram. Kat Ashley não soube reconhecer o quão nocivas eram as investidas de Seymour, tanto para a reputação de Elizabeth quanto para sua estabilidade emocional, ao passo que sua madrasta Catarina estava tão enfeitiçada pelo novo marido que por vezes até se juntava a ele em joguinhos de cócegas. Certa vez, relatou-se depois, Catarina chegou a imobilizar a enteada enquanto o marido despedaçava o vestido da garota.

Em dado momento, no entanto, Catarina teve um estalo. Grávida de cinco meses, ela deu com Seymour e Elizabeth entrelaçados em um abraço, enxergando a ameaça a seu casamento.

Elizabeth foi exilada no campo, onde se instalou na casa de *sir* Anthony Denny, cunhado de Kat Ashley. É evidente que Catarina deve ter se magoado e se enraivecido com o comportamento do marido, mas o vínculo que tinha com a enteada era indestrutível. Infelizmente, porém, Catarina morreu ao dar à luz em setembro. Seymour afirmou estar inconsolável com a morte da esposa, mas logo voltou a assediar Elizabeth, dessa vez tendo em vista um possível casamento – e Elizabeth ficou perigosamente lisonjeada.

Para a sorte de Elizabeth, no início de 1549, ele foi acusado de tentar sequestrar o rei e enviado à Torre. Os pormenores de seus flertes com Elizabeth vazaram e a questão foi investigada implacavelmente pelos oficiais do rei Eduardo. Algumas pessoas próximas de Elizabeth foram detidas na Torre. Nem mesmo ela foi poupada de um interrogatório minucioso. Entretanto, ela rebateu todas as indagações com grande maturidade, alegando que estava "assombrosamente desconcertada" com as acusações. Mais tarde, ela defendeu sua honra em uma carta indignada enviada ao lorde protetor, chefe de Estado inglês. Ela estava especialmente determinada a negar as "calúnias vergonhosas" sobre sua moralidade, como o boato de que estaria "com barriga", por culpa de Seymour.

Decidiu-se que a questão não seria investigada mais a fundo, e Seymour foi executado por traição ao rei. Aos 15 anos, Elizabeth aprendera algumas lições valiosas. Ela descobrira que era atraente para os homens e deleitara-se com a sensação de poder que isso lhe dera. Contudo, percebera também que envolvimentos sexuais estavam carregados de perigos.

ELIZABETH EM PERIGO

Depois do escândalo com Seymour, Elizabeth adotou um comportamento discreto, vivendo na quietude do campo e concentrando-se nos estudos. O erudito Roger Ascham dedicou os dois anos seguintes à educação de Elizabeth em estudos clássicos, teologia, francês e italiano. Ascham regozijava-se com o fato de que sua pupila real era capaz de discursar de maneira inteligente sobre qualquer assunto, afirmando que Elizabeth era "a estrela mais brilhante" de todas as damas cultas da Inglaterra e asseverando que a mente dela era livre das "fraquezas femininas" – em vez disso, era "investida de um poder de masculina diligência".

Embora ela atendesse às convocações do rei Eduardo, visitando-o na corte, a intimidade que um dia tiveram havia desaparecido e as cartas remanescentes que trocaram são severas e formais. Mesmo quando recebeu a notícia de que seu irmão estava morrendo, Elizabeth colocou a cautela em primeiro lugar. Em vez de se precipitar à corte, ela primeiro enviou uma mensagem informando que estava doente e incapaz de viajar. Então esperou.

Elizabeth fez bem em não se aproximar. Em poucas semanas, ela assistiu, de uma distância segura, quando *lady* Jane Grey e, depois, sua irmã Mary foram proclamadas rainhas. Elizabeth não deu um passo antes que tivesse ficado evidente que Mary assegurara a coroa. Ela enviou uma diplomática carta em que parabenizava Mary pelo sucesso e depois partiu para Londres com um guarda-costas robusto.

Nos primeiros meses do reinado de Mary, Elizabeth estava frequentemente a seu lado. As irmãs reais formavam uma dupla insólita: a rainha Mary, de 37 anos, era pequena e morena e vestia-se com cores vívidas e muitas joias, enquanto *lady* Elizabeth, de 19 anos, era alta e elegante, optando por se vestir de maneira simples, com o preto e branco comuns aos protestantes.

A rainha tinha bons motivos para manter Elizabeth próxima. Ela ansiava converter sua irmã ao catolicismo e – acima de tudo – precisava evitar que ela se tornasse foco de um descontentamento protestante. Durante seis meses, Elizabeth permaneceu na corte e resistiu de maneira obstinada aos esforços da irmã para que ela frequentasse as missas católicas. Contudo, no Natal, ela já estava afoita para deixar Londres, e a rainha, relutante, atendeu a seu pedido.

A essa altura, Mary já havia iniciado os planos para seu casamento com Felipe da Espanha – para horror e ultraje de muitos de seus súditos – e, em janeiro, o clima de descontentamento geral transformou-se numa rebelião escancarada, conduzida por *sir* Thomas Wyatt. Durante alguns dias bastante dramáticos, pareceu que Mary poderia perder o controle de Londres, mas, ao final, o levante foi sufocado.

Todos os insurgentes foram enviados à Torre. Veio à tona a informação de que os conspiradores pretendiam substituir Mary pela irmã protestante e até haviam planejado casar Elizabeth com Edward Courtenay, um dos chefes da insurreição. No entanto, a grande questão era: Elizabeth aprovara aqueles planos?

Wyatt admitiu ter escrito uma carta a Elizabeth, advertindo-lhe que se mantivesse longe de Londres. Ademais, sabia-se que *sir* James Croftes a visitara em Hertfordshire para levar mais um aviso, mas apenas esses fatos não foram suficientes para incriminar Elizabeth pela conspiração. A jovem enfrentara um interrogatório bastante hostil por parte de Stephan Gardiner, o lorde chanceler da rainha. Quando as muitas inquirições de Gardiner não deram resultado, o Conselho Real decidiu transferir Elizabeth para a Torre de Londres e, no dia 18 de março, ela foi levada de barcaça para a terrível prisão onde a mãe fora aprisionada 18 anos antes.

Durante três meses, Elizabeth foi mantida na Torre enquanto o inquérito prosseguia e enfrentou, o tempo todo, a possibilidade concreta de ser executada por alta traição. Anos depois, Elizabeth descreveria seu encarceramento na Torre como o acontecimento mais traumático de sua juventude, recordando: "Minha irmã estava muito enfurecida comigo". Finalmente, decidiu-se que aquele confinamento rigoroso não era mais necessário, e ela deixou a Torre em 19 de maio.

O destino de Elizabeth seria então o palácio real de Woodstock, próximo a Oxford, e a viagem durou quatro dias. Pessoas aglomeraram-se ao longo de todo o trajeto para ver sua carruagem passar, oferecendo-lhe bolos e bradando "Deus salve a sua Graça!".

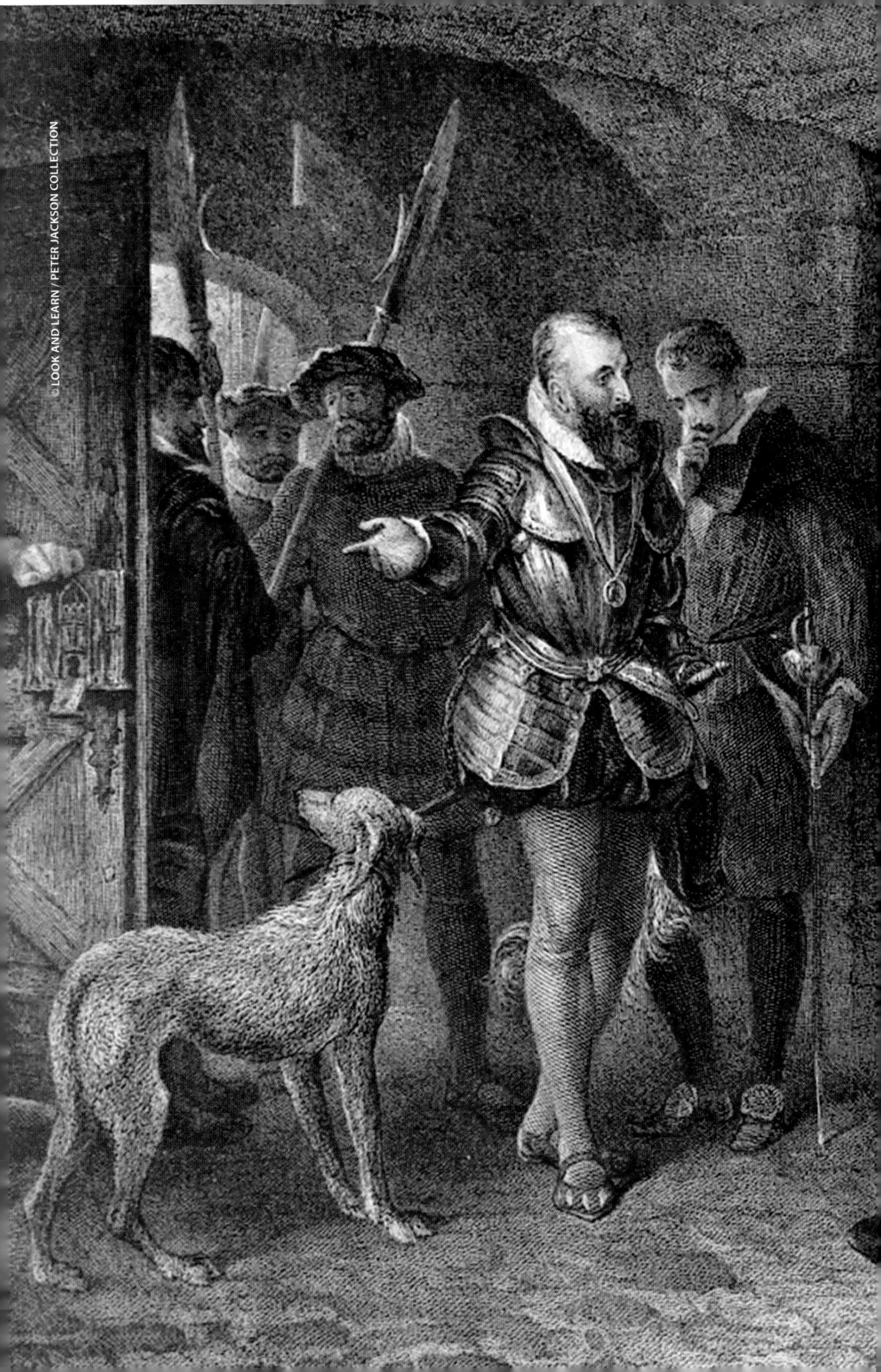

Elizabeth descreveu o encarceramento como o episódio mais traumático de sua juventude

Princesa Elizabeth I na Torre de Londres, *gravura, Robert Alexander Hillingford, c. 1871*

Woodstock fora um alojamento de caça desde os tempos dos saxões, mas, no século XVI, se tornara uma ruína decadente. Era isolado e distante – o local perfeito para manter Elizabeth bem longe de conspiradores.

A COROA COMO DESTINO

Quando se deparou com a perspectiva de uma estada de prazo indefinido, Elizabeth tornou-se petulante e exigente. Manteve-se determinada a asseverar sua inocência. Esse período sob custódia deixaria marcas indeléveis em seu caráter. Anos mais tarde, ela continuaria a se referir com frequência a seu encarceramento, chegando a acreditar que fora resgatada da morte por meio de uma singular vontade de Deus para que pudesse satisfazer Seu propósito de se tornar uma grande rainha da Inglaterra.

Em março de 1555, a prisão domiciliar de Elizabeth chegaria ao fim. Passados dez meses de exílio, a compaixão pública por Elizabeth ganhava impulso e o Conselho Real decidiu que seria mais seguro mantê-la sob vigilância na corte. Havia, ainda, outras razões. A rainha Mary casara-se com Felipe da Espanha e acreditava-se que ela estaria grávida. Em face da perspectiva de um herdeiro real, Elizabeth não mais representaria uma ameaça tão séria à Coroa. Naquela conjuntura, porém, se verificaria que a gravidez de Mary fora apenas uma ilusão. Parecia haver pouquíssimas chances de a rainha ter um filho. Até mesmo o marido, Felipe, começou a prestar atenção em Elizabeth, que era a mais provável sucessora no trono inglês.

Depois que Elizabeth retornou de Woodstock, Mary ainda reinou por mais três anos e meio, empreendendo sua obstinada campanha para aniquilar o protestantismo na Inglaterra mandando gente para a fogueira. Conforme Mary persistia em seu reinado de terror, muitos ansiavam por uma mudança na monarquia inglesa, mas Elizabeth cuidou para não incentivar qualquer deslealdade à Coroa. Entretanto, no outono de 1558, Mary ficou gravemente doente, falecendo no dia 17 de novembro, aos 42 anos. Era chegado o momento de Elizabeth.

SAUDAÇÕES À RAINHA

Elizabeth estava lendo sob uma árvore, no parque de Hatfield, quando lhe deram a notícia de sua acessão ao trono. Ela caiu de joelhos e agradeceu a Deus: "Isso é obra divina: é o maravilhoso diante de nossos olhos". Naquele mesmo dia, ela convocou uma reunião com seus conselheiros para discutir planos de curto prazo. Haveria três dias de luto pela morte da rainha Mary. Nesse meio-tempo, Elizabeth trabalharia na urgente tarefa de compor o próprio Conselho Real.

Entre as primeiras nomeações da rainha, estava *sir* William Cecil como secretário de Estado. Aos 38 anos, Cecil já havia servido como ministro-chefe ao jovem rei Eduardo, provando ser trabalhador, discreto e confiável. Diferentemente da maioria dos políticos da dinastia Tudor, Cecil estava sempre disposto a colocar os interesses da nação à frente das ambições pessoais, e ele haveria de servir Elizabeth fielmente até a morte, aos 76 anos. Kat Ashley tornou-se primeira-dama dos aposentos reais. Elizabeth era famosa por sua preocupação com as aparências, e ninguém que fosse feio teria chances de trabalhar em seu domicílio.

Em 28 de novembro, Elizabeth chegou à Torre de Londres – local onde tradicionalmente os monarcas ingleses aguardavam nas semanas que antecediam a coroação. Ela foi saudada com vivas entusiásticos, repique de sinos, fanfarras de trompetes e uma saraivada de tiros que durou meia hora. Parecia que Londres inteira havia se reunido para ver sua nova rainha. As pessoas comentavam o interesse evidente da jovem rainha pelos súditos e sua "grandiosa inclinação pelos mais fracos".

No dia de sua coroação, um cortejo ainda mais espetacular conduziu Elizabeth à abadia de Westminster. Houve depois um longo banquete de celebração. Foi um início deveras esplêndido para um reinado que logo ficaria conhecido por seu refinamento e sua ostentação.

Elizabeth I: "grandiosa inclinação pelos mais fracos", segundo um cronista da época

Retrato de Elizabeth I, óleo em painel de madeira, Nicholas Hilliard, c. 1573-1575

OS PRETENDENTES DE ELIZABETH

Elizabeth foi saudada de maneira entusiasmada. Contudo, uma questão ainda pairava sobre ela: quem ela escolheria como marido? Pressupunha-se que uma jovem não poderia governar sozinha, e havia uma necessidade premente de um herdeiro para o trono.

Desde o reinado de Henrique VIII, os Tudors foram atrapalhados por problemas sucessórios. Na falta de um herdeiro direto, surgiram duas concorrentes ao trono inglês. A primeira era *lady* Catarina Grey, sobrinha-neta do rei Henrique – por parte de sua irmã mais nova, Mary –, e irmã caçula de Jane, "a rainha dos nove dias". A segunda, Mary Stuart, era rainha da Escócia e também sobrinha-neta de Henrique VIII – por parte de sua irmã mais velha, Margaret.

Ambas eram católicas apostólicas romanas e tinham vínculos com forças estrangeiras. Embora criada como protestante, Catarina Grey convertera-se ao catolicismo durante o reinado de Eduardo, estabelecendo fortes ligações com a Espanha, ao passo que Mary, rainha da Escócia, fazia parte da família real francesa devido a seu casamento com o delfim francês. Aos olhos dos protestantes ingleses, a posição da jovem rainha Elizabeth parecia instável demais.

John Dee demonstrando uma experiência diante de Elizabeth I, óleo sobre tela, Henry Gillard Glindoni, 1852-1913

DR. JOHN DEE: O MÁGICO DA RAINHA

Nas primeiras semanas de reinado, Elizabeth consultou o dr. John Dee sobre qual seria a data mais propícia para sua coroação. Acionando seu vasto conhecimento de astrologia, ele assentou o dia 15 de janeiro, um domingo.

Dee foi um dos eruditos mais proeminentes da era elisabetana, mas também uma de suas figuras mais controversas. Especialista em matemática, astronomia e navegação, ele praticava também a arte arcana da alquimia, dedicando quase todo o final de sua vida à investigação do oculto e do sobrenatural.

Dee atuou como astrólogo e assessor científico de Elizabeth em sua corte, ajudou seus capitães a planejar viagens marítimas de exploração e foi um fervoroso defensor do estabelecimento de colônias inglesas no Novo Mundo.

Estava claro que Elizabeth deveria se casar e gerar um herdeiro, mas, caso escolhesse um pretendente oriundo de uma das grandes famílias dirigentes da Europa – conforme com seu status real –, corria o risco de entregar a Inglaterra em mãos estrangeiras. Entretanto, se ela decidisse desposar um membro da nobreza inglesa, a escolha poderia resultar em uma guerra civil, na medida em que famílias rivais nobres fizessem objeções.

Elizabeth vira a grande impopularidade que Mary enfrentara devido a seu casamento com um espanhol e decidiu que não cometeria o mesmo erro. Por outro lado, a rainha distraía-se e divertia-se em ver as propostas de casamento que poderia receber.

A jovem Elizabeth era linda, inteligente e charmosa – e uma revoada de pretendentes aglomerou-se para fazer a corte à dama mais desejada da Europa. Em janeiro de 1559, o embaixador da Espanha informou à rainha as intenções do rei Felipe II – ao que Elizabeth respondeu com as evasivas costumeiras. Por um lado, ela proclamou sua escolha de permanecer como Rainha Virgem, afirmando também que a lei proibia-lhe o casamento com o marido de sua meia-irmã. Por outro lado, ela prometeu levar a questão ao Parlamento e assegurou a Felipe que, se pretendesse se casar, haveria de preferi-lo a todos os outros.

Elizabeth era uma política habilidosa e percebeu que não seria sensato dispensar um dos homens mais poderosos da Europa. Felipe II não foi o único pretendente que ela encorajou naquele inverno. Em fevereiro, chegou à Inglaterra um emissário de Fernando I, Imperador do Sacro Império Romano-Germânico. Aparentemente, seu propósito era transmitir os

Rainha Elizabeth I em sua carruagem no cortejo real com a personificação de Fama, *manuscrito, William Teshe, c. 1584*

OS CORTEJOS REAIS

Ao longo de seu reinado, a rainha Elizabeth fez viagens — os cortejos reais — por todo o reino. Essas excursões costumavam ocorrer no verão e permitiam que a rainha visse os súditos e que por eles fosse vista, servindo ainda para mantê-la fora de Londres durante a temporada da peste.

A cada parada em seu trajeto, a rainha hospedava-se na propriedade de um aristocrata, onde esperava ser entretida com a devida fidalguia. Elizabeth era acompanhada por no mínimo uma centena de membros da sua corte — e cada qual deveria receber alojamento e alimentação.

Um relato datado de 1564 descreve uma comitiva real que permaneceu por cinco dias em Cambridge. A rainha adentrou os portões da cidade precedida por trompetes e seguida pelo séquito grandioso e foi recebida por todos os eruditos da universidade, que, de joelhos, bradavam *Vivat Regina!*. Pelos cinco dias subsequentes, Elizabeth foi entretida com uma série de cerimônias, divertimentos e "exercícios escolásticos". Ela visitou as faculdades fundadas por membros da família Tudor, assistiu a palestras e a peças latinas, ouviu orações e querelas e recebeu inúmeros regalos. Ela própria fez diversos discursos em latim. Quando enfim partiu, um dia depois do previsto, afirmou que teria ficado por mais tempo "se provisões de diferentes tipos de cerveja" pudessem ter sido feitas para sua corte.

cumprimentos de seu mestre à rainha, mas na verdade ele estava investigando quais seriam as perspectivas para o casamento com algum dos dois filhos do imperador, os arquiduques Fernando e Carlos. Elizabeth dispensou Fernando porque ele "servia apenas para rezar", mas demonstrou certo interesse em Carlos – insistindo, porém, que ela deveria vê-lo com os próprios olhos. Ela indagou se era verdade que Carlos tinha a cabeça grande demais para seu corpo. O emissário foi veemente ao proclamar que ele seria um perfeito esposo real e recusou-se a conceder uma visita "de aprovação".

Em abril, o príncipe Érico da Suécia juntou-se à fila de pretendentes da rainha, passando a escrever-lhe cartas de amor apaixonadas. Elizabeth encantou-se com os retratos do príncipe, mas recusou sua proposta de viver com ele na Suécia após o casamento.

Numa corte abarrotada de embaixadores estrangeiros, alguns ingleses esperançosos também insistiam numa candidatura. *Sir* Henry Fitzalan era um bufão incrivelmente rico, que vivia no antigo palácio de Henrique VIII em Nonsuch. Ainda que não tivesse nenhuma afeição por ele, ela gostava de ludibriá-lo. Por outro lado, *sir* William Pickering, um diplomata bonito e charmoso, esteve bem mais próximo das afeições da rainha, que se divertia ao flertar com ele. Contudo, havia um único nobre inglês com o poder de reivindicar o coração da rainha: Robert Dudley.

Robert Dudley tinha mais acesso à corte do que qualquer dos conselheiros

Provável retrato de Robert Dudley, *óleo sobre painel*, anônimo, c. 1590

"BONNY SWEET ROBIN"

Desde os 8 anos, Elizabeth conhecia seu "Robin formoso e adorável" ("*Bonny sweet Robin*", como ela o chamava), considerando-o um de seus amigos mais queridos. Ele crescera na corte e fora uma escolha natural na composição do seleto grupo de crianças nobres que tinham aulas junto com Elizabeth e Eduardo. Filho do poderoso duque de Northumberland, ele pertencia a uma das famílias mais importantes do reino – embora os Dudley, possuíssem um passado conturbado, tendo duas gerações sido executadas por alta traição (Edmund Dudley, o odiado cobrador de impostos de Henrique VII, condenado à morte por Henrique VIII, e John Dudley, executado por tentar conduzir *lady* Jane Grey ao trono).

Depois que *lady* Jane Grey foi deposta, o próprio Robert Dudley chegou a ser condenado à morte, sendo perdoado com o auxílio do rei Felipe II da Espanha. Elizabeth gostava de provocar o amigo com insinuações sobre o passado de sua família.

Elizabeth encontrou no jovem Robert Dudley um espírito semelhante ao seu. Inteligente, charmoso, bonito e valente, ele também era um esplêndido cavaleiro e desportista. Uma de suas primeiras decisões como rainha foi nomear Dudley como mestre da cavalaria – posição em que ele coordenava eventos reais e montava a seu lado. Na corte, ele tinha mais acesso a Elizabeth do que qualquer um de seus conselheiros, e corriam soltos os boatos de que os dois mantinham um relacionamento íntimo.

Dudley era visto com bastante desconfiança e William Cecil tinha particular receio de sua influência sobre a rainha. Contudo, havia um grande obstáculo que impedia o relacionamento de Dudley com Elizabeth. Ele era casado com uma dama de nome Amy Robsart e, embora se tivesse relatado que sua esposa teria "uma enfermidade em um dos seios", o fato de que continuava a viver, de maneira discreta no interior impedia que o romance régio progredisse.

No entanto, em 1560 a situação de Dudley mudou quando a esposa foi encontrada ao pé de um lance de escadas em sua casa, em Oxfordshire. Amy estava com o pescoço quebrado e aventou-se a possibilidade de um crime. Naturalmente, as suspeitas apontavam para o marido, e Elizabeth foi alertada. Aflita para logo rebater a culpa de seu favorito, a rainha ordenou uma investigação. Apesar de a conclusão indicar que a morte fora acidental, Dudley ficou com a reputação arranhada pela dúvida. Elizabeth continuou a vê-lo e ele permaneceu uma figura frequente na corte.

POR QUE ELIZABETH NÃO SE CASOU?

Passados três anos de sua acessão ao trono, tornara-se claro que, por mais que se divertisse com os jogos de flertes e elogios, Elizabeth não estava propensa a se casar. Mas quais eram as razões subjacentes à escolha de permanecer solteira? Alguns historiadores sugerem que ela ficou traumatizada com as descobertas sexuais prematuras com Thomas Seymour, citando um comentário que ela mesma fez a um enviado escocês em 1561. Teria afirmado que "certos acontecimentos em sua juventude" haviam feito com que a conciliação de casamento e segurança fosse impossível.

Alguns imaginam que ela sabia que era infértil e por isso se achava incompatível com a vida de casada. Seria possível, ainda, que estivesse tão apaixonada por Robert Dudley que não conseguiria aceitar outro homem como marido. Entretanto, talvez a razão mais provável para sua adoção do papel de Rainha Virgem seja o simples fato de que qualquer esposo pretenderia governar por ela, que preferia ficar solteira e comandar seu reino como bem entendesse.

A QUESTÃO DA SUCESSÃO

Quando Elizabeth completou 29 anos, a questão da sucessão ganhou caráter de urgência. A rainha estava no palácio de Hampton Court quando apresentou sintomas de febre e foi diagnosticada com varíola. Em poucos dias, ela decaiu para um estado de coma no qual permaneceu por 48 horas. Conforme Elizabeth oscilava entre consciência e inconsciência, o Conselho travava debates ansiosos sobre quem deveria receber a coroa no caso de sua morte. Um grupo alinhava-se a *lady* Catarina Grey, irmã mais nova da malfadada Jane, enquanto outros apoiavam o conde de Huntingdon, descendente de Eduardo II, que não possuía laços sanguíneos estreitos com Elizabeth.

Ninguém mencionava o nome de Mary Stuart. Finalmente, a rainha convalesceu e, ciente de que ainda estava doente, nomeou Robert Dudley como lorde protetor da Inglaterra. Seus conselheiros assentiram, preocupados em não fatigá-la, mas entre eles concordaram que a nomeação poderia levar a uma guerra civil.

Dali em diante, Elizabeth iniciou uma lenta recuperação, para grande alívio de seus conselheiros e súditos. A crise, porém, seria um relance preocupante do caos que se instalaria se a rainha continuasse se negando a nomear um herdeiro. Quando o Parlamento se reuniu em janeiro de 1563, os Lordes e os Comuns insistiram para que ela se casasse e gerasse um herdeiro, mas Elizabeth, mais uma vez, resistiu às pressões.

Obviamente, *lady* Catarina Grey tornou-se o foco das atenções. Ela era a beldade da família, além de uma jovem ambiciosa que recrutara o apoio de diversos embaixadores espanhóis em sua reivindicação do trono. Existira até um plano secreto para casá-la com o filho do rei Felipe e colocar o casal à frente do trono inglês. No entanto, Catarina arruinara esse esquema ao se apaixonar por Eduardo Seymour (filho do lorde protetor do reinado de Eduardo VI). Depois que se casara com Seymour em segredo, Catarina continuou a servir como uma das governantas da rainha, mas, quando engravidou, em 1561, seu segredo foi revelado. Elizabeth ficou furiosa – tanto com a falta de sensatez de Catarina quanto com seu desacato à autoridade régia (era ilegal pessoas de sangue real se casarem sem o consentimento do soberano). Aos olhos de Elizabeth, a fraqueza de Catarina tornou-a uma candidata ao trono completamente inadequada.

Em agosto, *lady* Catarina foi presa na Torre de Londres. Seu marido foi alojado numa cela separada. Em setembro, ela deu à luz um menino. Notícias de um possível novo aspirante ao trono inflamaram a rainha, e ela ordenou que uma comissão investigasse a validade do casamento de Catarina. A comissão descobriu que ela não tinha como provar seu casamento e, em 1562, a união foi declarada nula e sem efeitos e o herdeiro, tido como ilegítimo. Catarina permaneceu aprisionada na Torre.

O drama teve continuidade no ano seguinte, quando ela deu à luz um segundo filho, vindo à tona que seus carcereiros teriam a deixado encontrar com o marido clandestinamente. Catarina passou o resto da vida sob vigilância cerrada, até morrer de tuberculose, em 1568. Nesse meio-tempo, seus filhos foram colocados sob os cuidados de William Cecil.

QUESTÕES DE ESTADO

As prementes questões relativas a casamento e sucessão prevaleceram durante a primeira metade do reinado de Elizabeth, mas havia também outros problemas urgentes. A recém-chegada jovem monarca herdara um reino com várias mazelas. Ao final do reinado de Mary, pobreza e desordem predominavam. As cidades inglesas estavam abarrotadas de mendigos, inclusive monges e freiras que outrora ofereciam auxílio aos pobres. Sob o reinado de Mary, o comércio exterior tinha entrado em declínio, e o governo assumira dívidas de cerca de 266 mil libras esterlinas – uma cifra exorbitante para a época dos Tudors.

A aversão de Elizabeth ao casamento pode ter sido causada pelas precoces relações íntimas com Thomas Seymour

Retrato de Thomas Seymour, *óleo sobre painel*, Nicholas Denizot, c. 1545-1549

A situação mais preocupante, porém, era a profunda cisão religiosa do povo inglês. De saída, Elizabeth tomou como prioridade o restabelecimento da Igreja Anglicana como Igreja oficial do país, e, em abril de 1599, o Parlamento aprovou dois decretos fundamentais. O Ato de Supremacia garantia a Elizabeth o posto de governadora suprema da Igreja da Inglaterra, ao passo que o Ato de Uniformidade restaurava o *Livro de oração comum*, de Eduardo VI, decretando que todas as cerimônias fossem conduzidas em inglês e proscrevendo a missa católica.

Com a aprovação desses dois atos (conhecidos como Regulamento Anglicano), Elizabeth retomou a posição da Inglaterra de país protestante, tendo o monarca como chefe. Passou então a proceder com tolerância e cautela. Sob seu reinado, não houve perseguição religiosa. Ela desencorajava qualquer tipo de fanatismo. Enquanto o Ato de Uniformidade determinava que todo súdito maior de 16 anos deveria ir à igreja aos domingos, bem como estabelecia uma multa de 12 *pence* (centavos de libra) pelo não comparecimento, não se empreenderam tentativas de conversão forçada, e a rainha fazia vista grossa às missas celebradas em locais privados.

A própria Elizabeth dava preferência a um protestantismo menos ortodoxo, que preservasse parte das músicas e dos rituais da antiga fé e, embora seu governo tenha banido a veneração dos santos, encorajava ativamente o culto a São Jorge, padroeiro da Inglaterra.

Nas finanças, Elizabeth encarregou-se de reduzir a dívida governamental. Decidida a se manter com os próprios recursos, ela começou a liquidar terras da Coroa e a fazer economias na corte. Ainda que nunca tenha restringido seus gastos com figurino e joias, ela sempre controlou bem seu orçamento. O governo recolheu todas as moedas desvalorizadas e as substituiu por unidades que contivessem a devida proporção de ouro e prata. Além disso, Elizabeth estimulou o desenvolvimento do comércio, reduzindo boa parte dos tributos excessivamente onerosos impostos por Mary. Em seu reinado, observou-se um influxo constante de refugiados protestantes vindos de outras partes da Europa, e essas novas comunidades deram um impulso valioso à indústria inglesa, trazendo técnicas como a elaboração de rendas, a tecelagem da seda e a gravura.

Nos primeiros anos de reinado, ela resistiu ao ímpeto de se envolver em custosas guerras no estrangeiro – com uma única exceção. Desde que a rainha Mary perdera Calais, em 1558, os ingleses estavam afoitos para recuperar o território que acreditavam fazer parte da Inglaterra, e, em 1562, Elizabeth julgou ter a chance de reconquistá-lo. Na França, havia eclodido a guerra entre católicos e protestantes huguenotes. Elizabeth prometeu ajuda aos correligionários, mas pediu em troca apoio para recuperar Calais.

Em outubro de 1562, 6 mil homens navegaram até Newhaven (posteriormente Le Havre) sob o comando de Ambrose Dudley, conde de Warwick – irmão de Robert Dudley. Eles deveriam fortalecer os exércitos huguenotes, mas, em março de 1563, as guerras francesas já haviam acabado e as tropas inglesas tornaram-se redundantes. No entanto, em vez de trazer seus homens de volta, Elizabeth insistiu que eles permanecessem em Le Havre, onde acabaram enfrentando um ataque conjunto de tropas católicas e huguenotes, em meio a uma terrível epidemia de peste. Em julho, Elizabeth concordou, relutantemente, que Warwick não tinha escolha a não ser a rendição e, na primavera seguinte, assinou a Paz de Troyes com a França, na qual a Inglaterra finalmente renunciava a todas as reivindicações sobre Calais.

Depois da campanha desastrosa na França, Elizabeth não arriscou o envio de tropas inglesas ao estrangeiro pelos 20 anos seguintes. Todavia, a rainha estava determinada a não deixar que o monopólio espanhol sobre o Novo Mundo ficasse incontestado. Na década de 1560, ela já patrocinava viagens

No reinado de Elizabeth, o Parlamento aprovou atos que retomaram a posição do país como protestante

Rainha Elizabeth no Parlamento, gravura, anônimo, 1682 Museu Britânico

comerciais para as Américas comandadas pelo capitão John Hawkins, que estabeleceu tratos comerciais com os nativos e tomou gosto por invadir alguns navios mercantes espanhóis. Era uma política arriscada, que trazia recompensas proveitosas, mas que provocava a ira do soberano da Espanha. Mesmo em seus primeiros anos de reinado, Elizabeth já plantava as primeiras sementes de seu grave confronto com a Espanha.

A PERIGOSA MARY STUART

Desde os primeiros dias de reinado, Elizabeth era atormentada pelo inconveniente de sua prima Mary Stuart. Esta havia herdado o título de rainha da Escócia quando tinha apenas 6 anos e casara-se com o herdeiro do trono francês aos 15. Depois da morte do rei Francisco II, em 1559 (o ano seguinte à coroação de Elizabeth), Mary tornara-se rainha consorte da França, além de rainha da Escócia, e ela e seu jovem marido insistiram em se intitular monarcas da França, da Escócia e da Inglaterra.

Em 1560, Mary tornou-se viúva e, no ano seguinte, aos 18 anos, voltou para a Escócia, onde iniciou o próprio governo, mas seu controle sobre os poderosos lordes protestantes da corte era precário. Embora não fosse mais rainha na França, Mary ainda representava uma grave ameaça à segurança da Inglaterra, mantendo relações próximas com a Coroa francesa e persistindo em seu protesto de que ela seria a verdadeira herdeira católica do trono inglês.

Nessa altura, a rainha Elizabeth decidiu que era hora de abrir as negociações com sua prima real. O governo de Elizabeth estava afoito para que Mary ratificasse o Tratado de Edimburgo, redigido com o antigo rei da França, por meio do qual aquele país se comprometia a retirar suas tropas da Escócia e a reconhecer o direito de Elizabeth de governar a Inglaterra. Mary nunca concordara em assinar o documento. Em contrapartida, Elizabeth se recusava a confirmar que a prima a sucederia como rainha da Inglaterra quando sua morte chegasse.

Entre 1561 e 1565, Mary Stuart e Elizabeth fizeram hesitantes planos de se encontrar, trocando cartas e mensagens afetuosas. Elizabeth tinha uma clara afinidade com Mary: ambas eram mulheres jovens, cercadas por homens ambiciosos, à frente de uma monarquia. Ademais, Elizabeth tinha grande interesse nos planos matrimoniais da prima (questão de suprema relevância para a segurança do próprio reino) e, por volta de 1563, pregava a adequação de lorde Robert Dudley para o posto. Mary tinha uma desconfiança legítima – Dudley era o grande favorito da rainha, além de um protestante devoto. O casamento com ele daria a Elizabeth um instrumento de controle sobre ela.

Sabe-se que Mary Stuart era bastante impulsiva em questões sentimentais, e, em julho de 1565, ela tomou uma decisão que haveria de lhe custar a Coroa escocesa. Desafiando os conselhos dos poderosos lordes, ela se casou com o lorde Henry Darnley, um nobre de 19 anos que também reivindicava o trono inglês (Darnley e Mary tinham uma avó em comum, a irmã de Henrique VIII, Margaret Tudor). Elizabeth ficou furiosa com o fato de Mary ter assumido um casamento tão "temerário para a amizade entre as rainhas de ambos os reinos". Ela estava certa de que Darnley logo mostraria a verdadeira face, a de um jovem fútil, ambicioso e valentão.

Mary não demoraria a perceber o terrível erro que cometera. Em dezembro, quando foi anunciada a gravidez da rainha escocesa, o casal já estava vivendo separado e ela passara a procurar a companhia de seu secretário italiano David Rizzio. Louco de ciúmes com a influência do italiano, Darnley envolveu-se em uma conspiração e, em julho de 1566, assassinou Rizzio a facadas.

Menos de um ano depois, o próprio Darnley seria vítima de um complô de assassinato. Na noite de 10 de fevereiro de 1567, houve uma explosão repentina na casa onde ele estava hospedado. O corpo do jovem foi achado em meio aos destroços, e ficou evidente que um crime havia ocorrido. Ao saber do que se passara, Elizabeth escreveu a Mary imediatamente, insistindo que ela deveria encontrar os assassinos e limpar seu nome o mais rápido possível.

Os conselhos eram sábios, mas Mary Stuart se apressaria. Naquele momento, ela estava enfeitiçada por um dos principais suspeitos da conspiração de assassinato: o protestante Jaime Hepburn, conde de Bothwell, homem de natureza imprudente e imprevisível, com a ambição ardente de ser rei da Escócia.

Em abril de 1567, Mary retornava de uma visita a seu filho bebê, o príncipe Jaime, que nascera havia dez meses. Conforme seguia para Edimburgo, ela foi sequestrada por Bothwell e levada para o castelo dele, onde ele a "desonrou", obrigando-a a se casar para resguardar a honra. Quando a notícia do último casamento real vazou, os escoceses ficaram ultrajados.

Bothwell era detestado e Mary foi xingada de prostituta abertamente. No final de junho, a rainha foi aprisionada na fortaleza de Lochleven quando Bothwell já havia fugido para o exterior. Em 24 de julho de 1567, Mary Stuart foi forçada a abdicar. Seu jovem filho foi coroado como rei Jaime VI da Escócia.

Do lado sul da fronteira, Elizabeth, horrorizada, resolveu ajudar Mary Stuart a recuperar a coroa – apesar de seus muitos receios em relação aos dotes morais da prima. Contudo, antes que Elizabeth tivesse tempo de agir, Mary já havia escapado de Lochleven e partido em busca da proteção da rainha da Inglaterra. Elizabeth retribuiu, colocando Mariy sob custódia protetiva honrosa, não como prisioneira, mas como sua "convidada": uma solução temporária que perduraria, de fato, pelos 19 anos seguintes.

Quatro meses depois e Mary ter chegado à Inglaterra, Elizabeth instaurou oficialmente um inquérito para investigar o assassinato de Darnley. Se ficasse provado que a prima tinha algum envolvimento no caso, ela poderia ser mandada de volta à Escócia para responder perante a Justiça. Se ficasse provado que era inocente, Elizabeth admitia ajudá-la a retornar ao trono escocês. E, mesmo que o veredicto não fosse claro, a rainha ao menos poderia corroborar sua decisão de manter sua prima real em "clausura honorífica".

A terceira opção prevaleceu, já que a investigação concluiu que os fatos restavam "não provados". Continuava-se com uma interrogação acerca do grau de culpabilidade de Mary, e Elizabeth começou a fazer planos de longo prazo para o confinamento da prima, colocando-a sob os cuidados de George, conde de Shrewsbury, e de sua esposa indomável, Bess de Hardwick.

REVOLTA CONTRA A RAINHA

Elizabeth estava em situação insustentável. Era claro que Mary Stuart precisava ser mantida sob vigilância, afinal, nunca abandonara a demanda pelo trono inglês e, à solta na Inglaterra, representaria um perigoso ponto de aglutinação para rebeldes católicos. Entretanto, ao manter sua prima presa, Elizabeth ganhava as feições de uma impiedosa carcereira perante muitos de seus súditos. Quanto mais tempo Mary ficava enclausurada, mais a imagem de mártir romântica se fortalecia.

Uma primeira e perigosíssima rebelião veio do norte, em 1569. A revolta foi conduzida por dois poderosos lordes católicos, Charles Neville, conde de Westmorland, e Thomas Percy, conde de Northumberland. Ambos eram ferozes opositores de William Cecil e se sentiam alijados da sede do poder em Londres. A eles, logo se juntou um grupo de católicos mais radicais, que havia participado da Peregrinação da Graça contra Henrique VIII. O objetivo imediato dos rebeldes era libertar Mary, rainha da Escócia, do castelo de Tutbury. O plano não declarado era colocá-la no trono inglês.

Em novembro de 1569, os rebeldes ocuparam a catedral de Durham, celebrando uma missa católica como afronta direta ao Ato de Uniformidade de Elizabeth. De lá, avançaram para Tutbury. A princípio, os revoltosos somavam quase 10 mil pessoas, mas, conforme se deslocavam para o sul, começaram a perder impulso e, em 25 de novembro (dia em que Mary foi retirada de Tutbury), já haviam começado a retroceder. Como afronta final, eles tomaram o castelo de Barnard, mas não foram capazes de conservá-lo e foram vencidos pelas forças reais com facilidade. Os condes rebeldes fugiram de volta para o norte, dispersando suas forças e escapando para a Escócia.

A Rebelião do Norte, ao cabo, se mostrara frágil, mas a revolta teve uma continuação preocupante em janeiro de 1570. A partir de sua base em Cúmbria, Leonard Dacre reuniu nobres escoceses simpatizantes à causa, que poderiam ter formado uma força invasora perigosa. No entanto, a ameaça foi refreada pelo primo de Elizabeth, o barão Henry Hunsdon, que conseguiu aniquilar o exército de Dacre antes que os aliados escoceses se juntassem a ele. Dacre fugiu para o exílio em Flandres.

As rebeliões no norte não trouxeram prejuízos a longo prazo para Elizabeth. Nos meses que se seguiram, houve centenas de execuções e muitas expropriações de grandes porções de terra. Como resultado, as imensas propriedades das famílias Percy, Neville e Dacre foram completamente desmanteladas.

Os levantes tiveram apenas uma consequência séria para a estabilidade de Elizabeth. Enquanto planejavam sua revolta, os lordes católicos eram perturbados pelo receio de estar cometendo um pecado ao se rebelar contra sua legítima governante. Assim, eles peticionaram ao papa Pio V para que ele os auxiliasse em sua luta. A resposta do papa chegou tarde demais para fornecer qualquer ajuda efetiva, mas não deixava dúvidas sobre seu apoio a uma insurreição católica. Em fevereiro de 1570, Pio V emitiu uma bula papal excomungando oficialmente Elizabeth, bem como ameaçando de excomunhão todos os católicos que lhe obedecessem. O papa vira então a oportunidade de substituir uma problemática rainha protestante por sua prima católica, passando a oferecer apoio explícito a quaisquer novas conspirações.

Em 1570, Elizabeth já era rainha havia 11 anos, mas as questões de seu casamento e sucessão ainda não haviam sido resolvidas. Conforme se aproximava seu 37º aniversário, era evidente a urgência de um casamento caso quisesse ter alguma chance de gerar um herdeiro. Contudo, muitos de seus súditos já haviam se resignado com a perspectiva de ter uma Rainha Virgem no trono. Depois da turbulência dos dois reinados antecedentes, Elizabeth provara ser uma monarca competente, administrando um período de paz e tolerância religiosa. Ela fora firme, porém justa, e sobrevivera a diversas rebeliões com a autoridade real intacta. Os súditos viam sua rainha com olhos de afeição e respeito.

Rainha destronada da Escócia, Mary Stuart ficou 19 anos presa, sob "honrosa clausura", na Inglaterra

Mary, rainha da Escócia, óleo sobre painel a partir de original de Nicholas Hilliard, séc. XVI

VIII

GLORIANA E O FIM DA DINASTIA

A ERA DE OURO INGLESA FOI VIVIDA SOB A REGÊNCIA DE ELIZABETH. AINDA QUE EM SEUS ÚLTIMOS ANOS AS RUSGAS COM A ESPANHA E A CARESTIA TENHAM TISNADO UM POUCO DO BRILHO, A RAINHA ATINGIU ARES ÉPICOS NO CORAÇÃO DOS SÚDITOS

A rainha Elizabeth reagiu a sua excomunhão em tom de desafio: criou um feriado. Em 1570, ela declarou que 17 de novembro seria o Dia da Ascensão, também conhecido como Dia da Rainha, que celebraria o momento em que ela ascendera ao trono, 12 anos antes. O feriado tornou-se uma data oficial e sagrada da Igreja recém-estabelecida.

Naquela data, nobres e cavalheiros reuniam-se para duelar em nome da rainha, chegando às arenas em trajes exuberantes e endereçando à soberana discursos elogiosos. Milhares compareciam para testemunhar o espetáculo.

Conforme o reinado de Elizabeth progrediu, o Dia da Ascensão tornou-se uma comemoração grandiosa, que tinha como objetivo promover o culto da Rainha Virgem. Em poemas e pinturas, Elizabeth poderia aparecer na forma de Astreia, a deusa virgem da justiça, Diana, a caçadora, Cíntia, a dama do mar, e, mais tarde, como Gloriana, a rainha das fadas – uma invenção do poeta Edmund Spenser. Em todos esses papéis, Elizabeth estava sempre cercada por uma miríade de cavalheiros que lhe dirigiam um olhar de adoração, prontos para sacrificar a vida a seu serviço.

Elizabeth ficava encantada com aquelas homenagens elaboradas, mas o que mais lhe importava era o amor dos súditos. Em seus pronunciamentos públicos, ela lembrava o povo inglês de que ela era como uma mãe para todos, preocupada com sua "segurança e sossego". Para ela, tornara-se uma questão de princípio aparecer em público o máximo que pudesse. Ela costumava cavalgar pelas ruas, e viajava anualmente em cortejos reais através de seu reino.

Ela sempre tinha tempo para parar e conversar com os súditos; recebia presentes e ouvia seus pedidos com grande cortesia. Nas palavras de *sir* Walter Raleigh, "ela era rainha dos pequenos assim como dos grandes".

A última monarca Tudor, nos anos derradeiros de seu reinado de mais de quatro décadas, ganhou ares mitológicos nas representações de seus súditos

Rainha Elizabeth I no retrato Ditchley, óleo sobre tela, Marcus Geeraerts, o Jovem, c. 1592

Elizabeth, em triunfo, com as deusas Athena, Afrodite e Hera: rainha amada pelos súditos e respeitada em toda a Europa

Elizabeth e as três deusas, giz preto, guache e ouro em velino, atribuído a Isaac Oliver, c. 1588

MARY, A RAINHA RIVAL

Em 1570, o poder de Elizabeth sobre o trono não estava de forma alguma assegurado. Desde o verão de 1568, Mary, rainha da Escócia, estava presa em clausura honrosa na Inglaterra, enquanto seu retorno ao trono escocês era negociado. Entretanto, ela era uma refém perigosa e, em 1570, se tornaria o epicentro de uma conspiração internacional contra Elizabeth.

A maquinação começou quando um banqueiro florentino chamado Roberto Ridolfi escreveu ao bispo de Ross, emissário de Mary a Elizabeth, esboçando planos de invadir a Inglaterra. O ataque seria conduzido pelo duque de Alba, líder das forças espanholas na Holanda, com o apoio do papa e de Felipe II da Espanha. Os invasores pretendiam fomentar um novo levante da nobreza no norte. Thomas Howard, duque de Norfolk, deveria então prender Elizabeth, casar-se com a escocesa e colocar a nova esposa no trono. Era uma trama perigosa, que aglutinava forças nacionais e estrangeiras, mas a rede de espionagem elisabetana descobriu o enredo, e os cabeças foram presos. Ao final, Norfolk foi executado por alta traição em 1572. Ridolfi estava no exterior e escapou às sanções.

Quando os detalhes da conspiração de Ridolfi foram desvelados, ficou evidente que Mary Stuart não apenas soubera do conchavo, mas também o encorajara. Na Inglaterra, muitas pessoas viram o envolvimento da escocesa como uma indiscutível traição, e o Parlamento requereu sua execução. De maneira resoluta, Elizabeth se recusou a anuir, afirmando que ela nunca poderia "condenar à morte o passarinho que, para fugir do gavião, bateu asas até mim em busca de proteção".

Contudo, a conspiração de Ridolfi acabou fazendo com que Elizabeth decidisse que Mary Stuart nunca mais se sentaria no trono da Escócia. Seu filho, Jaime VI, foi reconhecido como o legítimo rei dos escoceses pela rainha inglesa.

Mary enfrentava a perspectiva de uma vida em cativeiro. Ela passava o tempo lendo, rezando e bordando, e logo passou a ser vista como mártir. Católicos descontentes nunca deixaram de sonhar em colocá-la no trono inglês. Em 1583, ela foi envolvida em outra trama, dessa vez orquestrada por Francis Throckmorton, um nobre inglês católico – que foi preso, torturado e executado em 1584. O perigo que Mary representava insistia em não desaparecer.

Em 1586, Elizabeth viu-se ameaçada por mais uma trama potencialmente mortal. Dessa vez, Felipe II da Espanha envolveu-se diretamente, empreendendo novos planos para invadir a Inglaterra. Em negociações com o papa, o rei concordou em colocar Mary Stuart no trono, com um marido e sucessor de sua escolha. Enquanto isso, na Inglaterra, *sir* Anthony Babington, um católico disfarçado, conduzia um conchavo contra Elizabeth. Babington pretendia estimular um levante de católicos ingleses para matar Elizabeth, e Felipe prometeu enviar uma tropa invasora tão logo a rainha estivesse morta. Ele escreveu a Mary, relatando seus planos, mas as cartas que trocaram foram interceptadas. Babington foi capturado, julgado por alta traição e condenado à morte.

Não havia como negar que a escocesa participara do conluio que colocava a segurança nacional inglesa em grande perigo. O Parlamento exigiu que Mary fosse levada aos tribunais e Elizabeth, embora resistente, concordou. Em outubro de 1586, Mary foi submetida a julgamento no castelo de Fotheringhay, em Northamptonshire. Ela foi condenada por seu papel no plano de assassinato, e a sentença era a morte.

Elizabeth deveria assinar o mandado de execução. Isso levou três meses. Por mais que reconhecesse que Mary havia se tornado perigosa demais para continuar viva, ela ainda hesitava em condenar uma rainha ungida e derramar o sangue da prima. Mas, finalmente, o mandado foi assinado e a execução de Mary se deu em 8 de fevereiro de 1587. Quando o informe sobre a morte chegou a Londres, a alegria tomou conta das ruas. Elizabeth, porém, não partilhava da felicidade geral. Ela passou o dia todo sozinha, chorando.

SIR FRANCIS WALSINGHAM: O 007 DE ELIZABETH (1532-1590)

Walsingham: desvendando complôs a serviço de Sua Majestade

Sir Francis Walsingham, óleo sobre painel, John de Critz, c. 1585

Francis Walsingham estudou Direito em Cambridge e Pádua antes de se tornar membro do Parlamento em 1559. William Cecil logo percebeu seu talento para a dissimulação e começou a usá-lo para obter informações de espiões estrangeiros em Londres. Em 1569, Cecil designou Walsingham para desvendar a trama criada por Ridolfi, sua primeira missão no governo. Doze anos depois, Walsingham conduziu a investigação que descobriria a conspiração de Throckmorton, que pretendia substituir Elizabeth por Mary da Escócia. Na década de 1580, já possuía uma rede de espiões e lia toda a correspondência da escocesa. Ele enviou um agente duplo para oferecer a ela um canal secreto de comunicação.

No momento em que se desenvolvia o complô de Babington, Mary era mantida no castelo de Chartley, em Staffordshire. Bilhetes codificados, levados e trazidos dentro de barris de cerveja, eram todos decifrados no gabinete de Walsingham. Assim que ele viu a carta em que Babington descrevia seus planos, a encaminhou para Mary, na expectativa de que ela redigisse uma resposta comprometedora. Quando ela o fez, selou seu destino.

Além de sua função de chefe da rede de espionagem, Walsingham era um dos principais conselheiros de Elizabeth. Em 1573, ele se tornou seu secretário de Estado e, em 1577, recebeu o título de cavaleiro.

ELIZABETH APAIXONADA

A visita do duque de Anjou à Inglaterra foi interrompida quando ele recebeu a notícia de que um amigo morrera na França, fazendo-o deixar Greenwich para viajar a Dover em 29 de agosto de 1578. Antes mesmo de partir, ele já havia escrito quatro cartas a Elizabeth e enviou mais três quando chegou a Boulogne. Ele assinou uma dessas cartas como "o escravo mais fiel e afetuoso do mundo". Elizabeth, por sua vez, ficou arrasada com sua separação. Alison Weir, historiadora e escritora, relata que foi nessa ocasião que a rainha escreveu o poema "*On monsieur's departure*" (Da partida do senhor):

Sofro, mas não ouso mostrar minhas amarguras;
Amo, mas preciso fingir que odeio,
Idolatro, mas não ousaria realizar minhas juras;
Pareço muda, mas por dentro baboseio.
Sou, e não sou, congelo, e me incendeio,
Pois de mim mesma meu outro eu escamoteio.

(I grieve, yet dare not show my discontent/ I love, and yet am forced to seem to hate,/ I dote, but dare not what I meant;/ I seem stark mute, yet inwardly do prate./ I am, and am not, freeze, and yet I burn,/ Since from myself my other self I turn.)

CORTEJANDO A RAINHA

Até o final do reinado, Elizabeth mantinha seus favoritos na corte – homens charmosos e talentosos que sabiam como lisonjear a rainha, mas também lhe ofereciam amizade e conselhos. Robert Dudley liderava esses preferidos, e ela concedeu-lhe o título de conde de Leicester em 1564. Ele nunca abandonou sua devoção à rainha, mas, conforme ambos se aproximavam dos 40 anos, sua relação passou a se assemelhar àquela de cônjuges casados há muito tempo, permeada por afeto e conversas brandas. Entretanto, por vezes, seu relacionamento podia ficar tempestuoso. Quando Leicester se casou outra vez, aos 46 anos, Elizabeth ficou amuada por diversas semanas e baniu a nova esposa da corte. Quando, dez anos mais tarde, ele faleceu, ela ficou arrasada. Em seus últimos tempos, Elizabeth teve outros prediletos notórios, como *sir* Christopher Hatton, o conde de Oxford, e o arrebatador *sir* Walter Raleigh; no final de seu reinado, o jovem conde de Essex roubou seu coração.

Enquanto Elizabeth desfrutava da atenção dos cortesãos, continuava a receber pedidos de casamento internacionais. Na década de 1570, o duque de Anjou, irmão do rei da França, negociou um casamento com a rainha inglesa. O momento era propício para que a Inglaterra criasse uma aliança com a França, em oposição ao crescente poder da Espanha.

Anjou tinha 22 anos a menos que Elizabeth e ela temia que a união a fizesse parecer ridícula. Falava-se também que ele era muito pequeno e bastante desfigurado por cicatrizes de varíola. Esses óbices foram deixados de lado em 1578, quando o duque de Anjou conduziu uma invasão contra o exército de Felipe da Espanha na Holanda. Como consequência, o povo holandês o convidou a ser seu governante, colocando-o em uma posição-chave em relação à Inglaterra. Reconhecendo que o duque poderia ser tanto um útil aliado quanto um inimigo perigoso, alguns membros do Conselho de Elizabeth insistiram para que ela considerasse o matrimônio. Anjou também estava ávido pela união, uma vez que precisava muito de recursos para suas campanhas nos Países Baixos.

No outono de 1578, Anjou enviou um galante emissário à Inglaterra para preparar a rainha para sua "corte" e, no verão seguinte, chegou à ilha. Na noite de 17 de agosto, Elizabeth deixou Greenwich em segredo para jantar com Anjou, e ficou encantada com o que viu. No lugar do anão desfigurado que esperava, ela encontrou um jovem confiante e barbudo, praticamente da sua altura, com charme abundante e evidente poder de sedução. A atração parecia recíproca e logo os dois começaram a se chamar por termos que denotavam uma afeição transbordante. Elizabeth apelidou Anjou de seu "sapo", e eles juraram se amar até que a morte os separasse.

Passadas quase duas semanas desse turbilhão romântico, o casamento real parecia certo. Contudo, quando Anjou viajou, a rainha voltou a considerar as reais implicações daquela união. Casando-se com o duque, ela seria forçada a dividir o trono com um cavalheiro estrangeiro e católico, o que poderia acarretar tumultos e rebeliões em seu país.

Anjou continuava a assediá-la com cartas de amor apaixonadas e com presentes. Ela hesitou por quase dois anos, por vezes desesperada para se casar com seu amado "sapo" e, por outras, resoluta em não fazê-lo. Ao final, ela deixou que a cabeça governasse seu coração. Ao final de 1582, Elizabeth falou a seus cortesãos com tristeza: "Sou uma velha para quem os pais-nossos bastarão, no lugar das núpcias".

PIRATAS E AVENTUREIROS

Elizabeth teve um papel de maior destaque internacional na segunda metade de seu reinado. Embora ainda evitasse a guerra, sua solidariedade aos protestantes dos Países Baixos e da França levou-a a conceder apoio militar a suas lutas. Ela atormentaria o rei Felipe II da Espanha por meio das ações de comandantes marítimos como John Hawkins e Francis Drake. Na década de 1570, esses corsários audaciosos eram impiedosos em seus saques à frota da prata espanhola nas viagens vindas do Novo Mundo.

Em 1571, Drake fez uma incursão contra postos avançados e navios espanhóis no Caribe, tomando espólios no valor de mais de 100 mil libras esterlinas. No ano seguinte, ele atacou o Panamá, escalou a cordilheira central e avistou o oceano Pacífico, que, até então, estava sob o domínio exclusivo dos espanhóis. Drake concebeu um plano ambicioso de navegar pelo Pacífico para invadir assentamentos espanhóis na região e persuadiu a rainha a investir em seu plano. Em novembro de 1577, Drake zarpou de Plymouth com apenas cinco embarcações e menos de 200 homens. Embora tenha agregado à sua frota navios de prata espanhóis capturados em sua passagem pelo Atlântico, o mau tempo e as enfermidades causaram muitos estragos. Em setembro do ano seguinte, quando passou pelo estreito de Magalhães em direção ao Pacífico, restava apenas uma embarcação – o *Golden Hind*, uma fragata de 100 toneladas.

Depois de ter pilhado assentamentos espanhóis e navios costeiros, Drake lançou-se à exploração da costa oeste da América do Norte, na esperança de encontrar uma passagem a noroeste que desembocasse na Inglaterra. Vencido pelo frio quando rumava para o norte, voltou-se novamente ao sul e lançou âncora pouco acima de onde hoje é San Francisco. Nomeou aquelas terras Nova Albion e as reivindicou em nome da rainha Elizabeth. Depois, zarpou rumo ao oeste, cruzando o oceano Pacífico, e voltou à terra natal passando pelo oceano Índico e pelo cabo da Boa Esperança. Drake, como o primeiro inglês a circunavegar o globo terrestre, foi reverenciado.

O lobo do mar retornou a Plymouth em 26 de setembro de 1580. Quando o *Golden Hind* acostou em Deptford em abril do ano seguinte, a rainha Elizabeth subiu a bordo e nomeou Drake cavaleiro, reconhecendo-o como herói nacional – apesar dos protestos da Espanha. A famosa viagem marítima de Drake levara riqueza e glória à Inglaterra. O restante de sua tripulação dividiu 40 mil

Elizabeth visitou as tropas que esperavam a chegada da vencida armada espanhola ao território inglês

Panorama de Tilbury Fort, em 1667, gravura, anônimo

libras esterlinas, ao passo que ele reservou para si outras 10 mil. Aqueles que haviam investido na empreitada dobraram suas riquezas, e a vasta parcela remanescente do tesouro apreendido foi para a Coroa.

A AMEAÇA ESPANHOLA

Desde o casamento com Mary Tudor, o rei Felipe II da Espanha vinha nutrindo perigosas ambições. Católico fervoroso, ele esperava restabelecer a fé católica na Inglaterra.

Durante o reinado de Elizabeth, a Espanha era constantemente fustigada pelos ingleses. Na Holanda, Elizabeth forneceu tropas e ajuda aos rebeldes protestantes em sua luta contra o jugo espanhol. No mar aberto, bucaneiros ingleses seguiam uma política deliberada de ataques e pilhagem de embarcações espanholas – com o apoio da soberana.

Em 1586, a paciência do rei espanhol chegara ao fim e ele começou a planejar o que chamou de "empreitada da Inglaterra". A intenção era enviar sua grandiosa esquadra de navios para invadir o país.

Parecia ser relativamente simples. Enquanto a Inglaterra era mera coadjuvante no cenário mundial, a Espanha, com suas colônias na África e no Novo Mundo, era um superpoder global. No entanto, apesar das desvantagens, Elizabeth estava decidida a dar o primeiro passo. Em 1587, com a bênção da rainha, *sir* Francis Drake empreendeu um ataque preventivo ao porto espanhol de Cádis. Essa ação corajosa, conhecida popularmente como a "chamuscada na barba do rei da Espanha", destruiu embarcações e suprimentos destinados à invasão. A partida da armada foi atrasada em um ano – tempo que os ingleses utilizaram para desenvolver suas defesas.

Obviamente, a armada não poderia ser atrasada para sempre, e, em 28 de maio de 1588, a grandiosa frota espanhola zarpou de Lisboa sob o comando do duque de Medina-Sidonia. A intenção era navegar pelo canal da Mancha e ancorar ao largo de Flandres, para que uma força invasora de 30 mil homens pudesse ser embarcada e posteriormente desembarcada em solo inglês. Em 19 de julho, 130 navios espanhóis, carregando 8 mil marinheiros e quase 19 mil soldados, entrou no canal. A maior parte da frota inglesa estava em Plymouth e não chegava a somar 100 embarcações.

Entretanto, os navios ingleses estavam bem armados e eram ligeiros. Sua tática consistia em

NADA DE "MULHER FRACA E FRÁGIL"

O discurso de Elizabeth em Tilbury foi endereçado a "meu povo afetuoso" e enfatizou a resistência dela a quaisquer perigos.

"*Venho em meio a vocês, como podem ver, neste momento, não para minha diversão e distração, mas resoluta, no epicentro e no calor da batalha, a viver e morrer em meio a todos vocês; para depositar diante de meu Deus, e de meu reino e meu povo, minha honra e meu sangue, mesmo nas cinzas.*

Sei que meu corpo não é mais que o de uma mulher fraca e frágil; mas tenho o coração e o estômago de um rei, e ainda de um rei da Inglaterra, e escarneço de que Parma ou a Espanha, ou qualquer príncipe europeu, ousasse invadir as fronteiras de meu reino; ao que, antes que qualquer desonra me seja impelida, eu mesma irei me preparar para a guerra, eu mesma serei seu general, seu juiz, e aquele que irá premiar cada virtude que apresentarem no campo de batalha."

Rainha Elizabeth I, 9 de agosto de 1588, Tilbury

---

evitar confrontos diretos: permaneciam retraídos, provocavam o inimigo e bombardeavam os espanhóis com suas armas. Em uma manobra habilidosa, os navios ingleses deslizaram para a retaguarda da armada e, assim, ficaram a barlavento dos navios espanhóis – uma posição vantajosa para realizar manobras em combate. Durante uma semana, a frota inglesa perseguiu os rastros da armada pelo canal, atacando as embarcações espanholas apenas quando encontravam uma boa oportunidade.

Na noite de 28 de julho, conforme a armada atracava ao largo de Calais, os ingleses enviaram navios de ataque carregados de substâncias inflamáveis e pólvora que eram incendiados e atirados na direção do inimigo. Os invasores entraram em pânico e tiveram de cortar suas âncoras para escapar. No dia seguinte, o restante da frota inglesa atacou a desorganizada formação espanhola próxima a Gravelines, em movimento decisivo. Contudo, os ingleses logo esgotaram sua munição e recuaram, permitindo que o vento leste impelisse os espanhóis em direção à costa traiçoeira. Na última hora, porém, o vento mudou, permitindo que os espanhóis fugissem no rumo norte. Eles tentaram navegar de volta à península Ibérica contornando o norte da Escócia e seguindo para o sul ao longo da costa oeste da Irlanda. Com os vendavais de outono, muitas embarcações afundaram. Outras foram arremessadas contra as rochas ao longo da costa da Irlanda. Apenas 60 retornaram em segurança à Espanha. Cerca de 15 mil espanhóis morreram.

A armada fora expulsa do canal, mas não estava claro que a invasão tinha sido evitada. Aqueles que estavam no litoral preparavam-se. A própria Elizabeth foi até Tilbury, em Essex, para reanimar as tropas que se reuniam para resistir a qualquer força invasora. Os historiadores divergem em suas visões sobre essa aparição. Para alguns, ela era uma figura majestosa, vestida em veludo branco e montada sobre um garanhão branco, ao passo que a descrição de Garrett Mattingly, em seu livro *A derrota da armada espanhola*, pinta um retrato bem menos elogioso de "uma solteirona maltratada, esquálida, cinquentona, empoleirada sobre um gordo cavalo branco, com dentes pretos e uma peruca vermelha ligeiramente torta, balançando uma espada de brinquedo e vestindo uma arremedo disparatado de armadura, como se fosse uma personagem de algum teatrinho barato".

No entanto, há certo consenso de que o discurso que Elizabeth fez em Tilbury foi bastante inspirador.

Quando ficou evidente que a destruição da armada fora completada pelo mau tempo, a vitória pareceu ser um ato divino. O povo da Inglaterra acreditou que Deus estava sorrindo para sua rainha protestante. O rei Henrique III da França declarou que a vitória da rainha inglesa "se comparava aos grandes feitos dos mais ilustres homens da história", enquanto o papa Sisto afirmou: "Ela é definitivamente uma grande rainha e, fosse ela uma católica, seria nossa diletíssima filha. Vejam como ela reina! Ela é apenas uma mulher, senhora de apenas metade de uma ilha, e ainda assim ela se faz temer pela Espanha, pela França, pelo Império, por todos!".

GUERRAS NO ESTRANGEIRO

Enquanto Felipe iniciava os reparos em sua esquadra para tentar uma nova invasão, Drake contra-atacou, acabando com alguns dos navios espanhóis que haviam sobrevivido. Em Portugal, os ingleses deram apoio a rebeldes contrários à Espanha e ajudaram a estabelecer um pretendente ao trono. Drake seguiu saqueando a prata da frota espanhola, fornecendo recursos significativos ao tesouro elisabetano. Três outras armadas zarparam da península em direção às águas inglesas em 1596, 1597 e 1601. Os esforços foram frustrados por circunstâncias climáticas adversas. A expedição de 1601 chegou a desembarcar tropas no sul da Irlanda para dar assistência a rebeldes, mas foram derrotadas.

Os conflitos avançaram também nos Países Baixos. Após o assassinato de Guilherme de Orange em 1584, tanto a rainha Elizabeth quanto Henrique III da França recusaram a oferta de soberania da Holanda. Com o Tratado de Nonsuch, em 1585, Elizabeth recebeu as Províncias Unidas como protetorado e enviou o conde de Leicester como governador-geral, à frente de um exército de 6 mil homens. Essa acabaria sendo uma empreitada cara, drenando um terço das despesas ordinárias anuais do governo.

Na França, Elizabeth tentou um difícil equilíbrio: procurava manter relações cordiais com a monarquia, ao mesmo tempo que dava apoio aos protestantes contra os católicos no poder. No entanto, tudo mudou em 1589, quando Henrique III foi assassinado. Ele foi sucedido pelo protestante Henrique

Francis Drake aterrorizou os navios espanhóis em todos os mares e tornou-se herói nacional e cavaleiro

Rainha Elizabeth sagra Drake cavaleiro, gravura em linho, anônimo, séc. XIX

IV e os católicos se rebelaram. Elizabeth sancionou uma expedição à Normandia em apoio ao rei, e Henrique garantiu o trono ao final, convertendo-se ao catolicismo em 1594.

As guerras de Elizabeth no estrangeiro esgotaram seus recursos. Estima-se que seus gastos tenham somado cerca de 4,5 milhões de libras esterlinas, ao passo que a receita anual comum era de apenas 300 mil libras, aproximadamente. A rainha foi obrigada a vender terras da Coroa, angariando 800 mil libras.

Apesar dessas perdas financeiras, os gastos foram moderados em comparação aos de outros monarcas europeus da época. A prioridade de Elizabeth foi garantir a segurança e a proteção do próprio reino, e ela não tinha a pretensão de construir um império. Em 1593, a rainha afirmou ao Parlamento: "Minha ideia nunca foi invadir os domínios de meus vizinhos nem usurpar seu poder. Fico satisfeita em reinar sobre o que me é próprio e em governar como um príncipe justo".

ACORDOS COMERCIAIS

O reinado de Elizabeth assistiu à ascensão de uma nova classe mercante na Inglaterra e ao crescimento do comércio internacional. A Companhia de Moscóvia foi fundada em 1555 por Sebastião Caboto. Ela exportava tecidos de lã, metais e artigos do Mediterrâneo para a Rússia, retornando com cânhamo, sebo e cordame.

Estabeleceram-se relações comerciais com o Império Otomano. Em 1580, um tratado de comércio foi celebrado e, no ano seguinte, a Companhia do Levante foi estabelecida. A Inglaterra exportava estanho, chumbo, munições, tecidos, peles de coelho e prata espanhola, recebendo em troca seda, algodão, couro curtido, passas, noz-moscada, indigo, remédios e carbonato de sódio para a produção de vidro e sabão.

No reinado de Elizabeth, a Inglaterra iniciou relações comerciais também com o Marrocos, exportando couraças, munição, madeira e metais em troca de açúcar.

Em 1600, formou-se a Companhia Inglesa das Índias Orientais para distribuir especiarias das Índias Orientais, comércio que estivera sob o monopólio da Espanha e de Portugal até a derrota da armada. Naquele mesmo ano, o primeiro inglês pisou no Japão. William Adams tornou-se conselheiro do xogum e ajudou a firmar os primeiros acordos comerciais entre a Inglaterra e o país oriental.

LEVANTES IRLANDESES

Elizabeth foi rainha da Irlanda, assim como da Inglaterra, mas os católicos irlandeses ressentiam-se de seu jugo e muitos conspiravam com os inimigos da Inglaterra, especialmente a Espanha. Temendo que a Irlanda se tornasse um ponto de apoio para as invasões de Felipe II, Elizabeth adotou uma política de largas concessões de terras irlandesas a cortesãos ingleses. Contudo, a presença da aristocracia inglesa apenas exacerbou a indignação dos locais. Em 1559, Shane O'Neill – Shane, o Orgulhoso – liderou uma rebelião contra os ingleses na província do Ulster, a noroeste, chegando até a se coroar rei do Ulster. Elizabeth procurou ganhar tempo na escolha entre fazer um acordo com O'Neill e preparar-se para entrar em combate contra ele, mas a situação se resolveu em 1567, quando O'Neill foi morto por membros do clã rival MacDonnell e suas terras foram confiscadas. Em resposta, Elizabeth incentivou a colonização por ingleses (uma política denominada *plantation*), na esperança de que sua presença evitaria novas rebeliões.

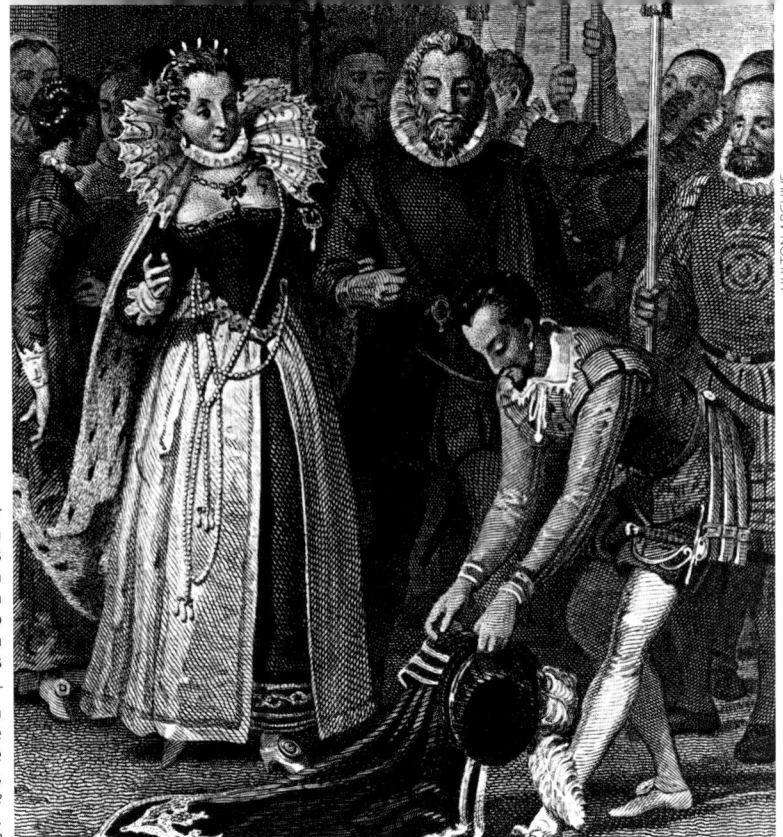

O galante *sir* Walter Raleigh foi um dos "favoritos" da longa lista da rainha que não se casou nem deixou herdeiros

Walter Raleigh coloca sua capa em cima de uma poça para que Elizabeth passe, *gravura a partir de original de Leslie, c. 1600*

Em 1579, James Fitzmaurice Fitzgerald retornou à Irlanda vindo do continente. Ele obtivera o aval do papa para uma cruzada católica na Irlanda, embora lhe faltasse o apoio financeiro da França e da Espanha. Quando sofreu uma emboscada e foi assassinado, seu primo Gerald Fitzgerald, conde de Desmond, assumiu a liderança do pequeno exército papal. Todavia, o levante não duraria muito, na medida em que tropas inglesas reprimiriam brutalmente os insurgentes, queimando safras para privar os habitantes locais de alimento. A região de Munster, no sudoeste da Irlanda, ficou devastada e estima-se que cerca de 30 mil irlandeses tenham morrido de fome.

Entre 1594 e 1603, outra revolta significativa eclodiu na Irlanda. Ficou conhecida como Rebelião de Tyrone, ou Guerra dos Nove Anos, e foi liderada por Hugh O'Neill, conde de Tyrone, com o apoio da Espanha. Foi um conflito de grandes proporções, considerados os padrões da época – no início do século XVII, o exército inglês na Irlanda somava cerca de 18 mil homens –, que se tornaria um problema persistente para a administração de Elizabeth. No inverno de 1597-1598, o embaixador francês afirmou que a rainha "gostaria que a Irlanda afundasse no mar".

Os irlandeses alcançaram uma vitória importante na Batalha de Yellow Ford em 1598, quando aproximadamente 2 mil soldados ingleses foram mortos em uma emboscada. Em 1599, Elizabeth enviou seu favorito, o conde de Essex, para sufocar a revolta. Ele não obteve grande sucesso nas batalhas e, depois de um diálogo com O'Neill, firmou uma trégua não autorizada que enfureceu a rainha.

Essex foi substituído por Charles Blount, lorde Mountjoy. Em 1601, tropas espanholas desembarcaram na Irlanda para dar apoio aos rebeldes, mas em 1603 Mountjoy derrotou os revoltosos. O'Neill rendeu-se poucos dias depois da morte de Elizabeth. A guerra sugara por anos uma vasta parcela do erário inglês.

O POVO DE ELIZABETH

O crescimento do comércio de lã durante a era elisabetana estimulou a prática do cercamento, à medida que ricos proprietários de terra se apoderavam de terrenos desabitados que, tradicionalmente, eram usados para cultivo pela população comum. As unidades agrícolas delimitadas por cercamento eram maiores e mais rentáveis, bem como requeriam menos mão de obra, o que forçou os camponeses a deixar a zona rural na esperança de encontrarem trabalho nas cidades. Ao mesmo tempo, o aumento da fertilidade e a queda da taxa de mortalidade resultaram em um drástico crescimento da população da Inglaterra, que passou de 3 para 4 milhões de pessoas ao longo do reinado de Elizabeth. Os parcos recursos do país foram explorados ao máximo.

Além disso, uma série de colheitas fracas, em especial na década de 1590, acarretou um aumento no preço dos alimentos. Aqueles que não podiam pagar passavam fome, e o padrão de vida da maioria da população piorou. Como resultado, as cidades inglesas ficaram repletas de mendigos.

Nos anos finais do reinado de Elizabeth, uma série de Poor Laws ("Leis dos Pobres") foi sancionada pelo Parlamento, na tentativa de lidar com a questão da pobreza generalizada. Um ato de 1563 já diferenciava os "pobres impotentes" (ou "merecedores"), que deveriam receber abrigo e esmolas, dos "pobres robustos" ("não merecedores"), que deveriam ser punidos por sua vagabundagem. Decretos posteriores estabeleceram que os vagabundos deveriam ter as orelhas direitas queimadas e, caso insistissem em seu comportamento devasso poderiam ser presos e até executados.

Em 1572, foi introduzida uma lei que criava um tributo nacional para auxílio aos necessitados. Pretendia-se que ele fosse imposto em nível local, coletado pelo juiz de paz e distribuído aos "pobres impotentes".

Enquanto isso, ladrões de galinha, vadios e mendigos deveriam ser confinados em "casas de correção". Em resposta à crise econômica e às fracas colheitas da década de 1590, a famosa Lei dos Pobres de 1601 determinou que cada paróquia nomeasse um supervisor para administrar a assistência a velhos, doentes e crianças pobres, bem como fornecer trabalho aos que tinham capacidade física e viviam nas casas para pobres (*poorhouses*, depois denominadas *workhouses*, isto é, "casas de trabalho").

LONDRES ELISABETANA

Na era Tudor, Londres dominava o país (sendo Bristol e Norwich as duas maiores cidades depois da capital) e cresceu especialmente rápido sob o reinado de Elizabeth. Entre 1550 e 1600, sua população dobrou de 100 mil para 200 mil habitantes, tornando-a a maior cidade da Europa. A Londres elisabetana era um próspero centro portuário e comercial, renomado por seus mercados e lojas. Era também abarrotada, suja, barulhenta e malcheirosa. O esgoto corria pelo meio das ruas, e a cidade era um chamariz para ladrões, trapaceiros e mendigos.

Ao final do reinado de Elizabeth, a capital expandira-se muito além dos limites de sua muralha medieval. Sob o pináculo da velha catedral de Saint Paul e abaixo das torres da abadia de Westminster, ela evoluíra para uma cidade composta por diferentes distritos, cada qual com características próprias. Os grandes palácios reais situavam-se em Whitehall e Westminster, enquanto as casas dos nobres alinhavam-se na rua Strand, com seus jardins que se inclinavam em direção ao rio. Cada casa tinha seu próprio pier, posto que viajar de barcaça era muito mais fácil do que cavalgar pelas ruas abarrotadas.

Ao sul do rio localizavam-se os bordéis e teatros, incluindo o Globe, de Shakespeare, enquanto a Torre de Londres ficava na margem norte. Palco de muitas execuções durante a dinastia Tudor, a Torre era um ponto turístico popular entre as famílias inglesas. Fustigação de ursos e rinhas de galo eram divertimentos públicos comuns.

As "casas de trabalho" logo começaram a ser temidas, mas, numa sociedade em que os pobres não podiam mais reivindicar a proteção de um senhor feudal, as Leis dos Pobres de Elizabeth representaram uma tentativa pioneira de estabelecer um sistema de bem-estar social.

UMA CORTE DESLUMBRANTE

Elizabeth encarava a corte real como um palco. Nela, a rainha poderia exibir a glória e a potência da Coroa inglesa não apenas a potentados, comerciantes e embaixadores estrangeiros, mas também aos súditos, que tanto a admiravam. A corte era um circo móvel, que poderia ser montado em qualquer das dezenas de palácios reais, ou viajar em grandiosos cortejos reais.

A corte elisabetana reunia, tipicamente, cerca de mil pessoas. Isso incluía os guardas e criados pessoais da rainha, seus conselheiros e um grupo de cortesãos – lordes e damas que conviviam com a rainha. Músicos, cantores, bobos da corte, malabaristas e acrobatas faziam o entretenimento.

A rainha recebia também companhias de atores, que se apresentavam para ela, e estendia seu mecenato real a indivíduos que se destacassem pelo talento.

O período elisabetano foi de expressivo florescimento das artes, estimuladas vivamente pela rainha e seus cortesãos. Retratistas como Nicholas Hilliard e Marcus Gheeraerts tiveram bastante trabalho, enquanto compositores como William Byrd e Thomas Tallis foram incentivados a produzir trabalhos novos e ousados. Assim como seu pai e seu avô, Elizabeth presidiu uma corte bastante musical. O coro de sua capela tinha grande destaque. Composto por homens e meninos, era muito admirado por visitantes estrangeiros.

Poetas eram sempre bem-vindos. *Sir* Philip Sidney e *sir* Walter Raleigh eram notáveis escritores de sonetos, e a própria Elizabeth escreveu poesia. Edmund Spenser redigiu um dos poemas mais emblemáticos da era Tudor – um elaborado elogio à sua monarca. *A rainha das fadas* (The faerie queene) é um épico em seis volumes, que descreve as aventuras de cavaleiros, dragões e damas em perigo, mas que também pode ser interpretado como uma extensa alegoria sobre uma vida de virtudes. No centro do poema, encontra-se Gloriana, a rainha das fadas, uma representação poética de Elizabeth.

A dramaturgia foi alavancada, com as obras de Ben Jonson, Christopher Marlowe e William Shakespeare. Muitas peças fizeram a pré-estreia na corte elisabetana, incluindo *Noite de reis* (Twelfth night), de Shakespeare, em 1601. Uma história conta que Elizabeth ficou tão encantada com o personagem Falstaff de *Henrique V* que ela teria pedido a Shakespeare que escrevesse uma peça em que Falstaff se apaixonasse. Shakespeare redigiu rapidamente *As Alegres Comadres de Windsor* (The merry wives of Windsor, que teria sido composta em apenas uma quinzena), muito apreciada pela rainha.

OS VESTIDOS DE ELIZABETH

A rainha Elizabeth é famosa por seu guarda-roupas extravagante. Acredita-se que ela tenha possuído 3 mil vestidos, embora muitos fossem presentes que nunca teriam sido usados. À medida que envelhecia, seu figurino tornava-se cada vez mais espetacular. Suas golas e rufos engomados ficavam cada vez maiores e, mesmo em idade avançada, ela gostava de vestidos bastante decotados. Os vestidos de Elizabeth eram feitos de veludo, tafetá ou tecidos com fios de ouro, recobertos com joias, pérolas e bordados de ouro e prata. Debaixo dos vestidos, ela usava um fino vestido de linho para protegê-los vestidos (que nunca poderiam ser lavados) da transpiração. A rainha era, ainda, usava em um espartilho de barbatanas e uma anágua rija e cheia de aros, conhecida como *farthingale*, que tornava um desafio as simples tarefas de andar e sentar.

lizabeth via no teatro mais que entretenimento. Ela defendia as companhias de atores em sua luta contra os puritanos que queriam fechar suas casas, e chegou até a fundar sua própria companhia, conhecida como "*Queen's Men*" (os Homens da Rainha).

ELIZABETH E ESSEX

Quando Robert Dudley, conde de Leicester, morreu, em 1588, foi substituído pelo enteado, Robert Devereux, o conde de Essex, na afeição de uma rainha algo envelhecia. Cortesão bonito e charmoso, Essex destacara-se na luta contra os espanhóis na Holanda em 1586, mas era perigosamente impulsivo e ambicioso.

Elizabeth, como antes seu pai, Henrique VIII, buscava passar uma imagem majestosa e mesmo extravagante em suas aparições públicas

Retrato "arminho" de Elizabeth I, óleo sobre tela, atribuído a William Segar, c. 1585

Em 1589, Essex desobedeceu à rainha e juntou-se à expedição de Drake a caminho de Lisboa – uma tentativa malsucedida de aproveitar a vantagem obtida na derrota da armada espanhola no ano anterior. Ele logo conseguiu persuadi-la com seu charme a não levar a falta a sério e, em 1593, passou a integrar o Conselho Privado régio, o que deu início a uma longa disputa pelo poder com William Cecil e seu filho, Robert.

Em 1596, Essex tornou-se um herói nacional quando participou do comando da expedição que tomou Cádis dos espanhóis. Contudo, no ano seguinte, ele fracassou ao tentar interceptar a frota da prata espanhola perto dos Açores. A essa altura, a rainha já o achava um desregrado. Durante uma briga, ele virou as costas para ela (cortesão nenhum podia fazer isso) e ela deu-lhe um tapa no rosto. Entretanto, em 1599 ela o enviou à Irlanda como lorde tenente. Incapaz de assegurar uma vitória militar, ele estabeleceu uma trégua desfavorável. Furiosa, Elizabeth exonerou-o de seus cargos e o colocou em prisão domiciliar.

A reação de Essex a essa humilhação foi uma rebelião imediata.

Ele estabeleceu contato com Jaime VI da Escócia e desenvolveu planos para colocar o rei escocês no trono inglês.

Em 8 de fevereiro de 1601, com centenas de seguidores, Essex tentou articular um levante em Londres, mas a rebelião não conseguiu apoio popular. Ele foi forçado a se render às tropas de Elizabeth e seria executado em 25 de fevereiro de 1601. Depois da morte dele, a rainha cedeu à depressão. Durante vários meses, seria tomada por ataques de choro e frequentemente se recolhia ao quarto de dormir. No verão de 1601, ela admitiu ao embaixador francês que estava "cansada da vida, pois nada agora a contentava".

OS ÚLTIMOS ANOS DA RAINHA

Conforme se aproximava de seus 70 anos, Elizabeth começou a sentir os efeitos da idade. Seus esforços para manter uma aparência jovial tomavam muitas horas todas as manhãs.

Em 1597, o embaixador francês relatou que a rainha estava "bastante envelhecida", com um rosto comprido e magro por trás de "uma grande peruca ruiva". Seus dentes estavam amarelados, e muitos faltavam, e ela não conseguia se fazer entender quando falava com rapidez. Contudo, ainda era alta e elegante. "É estranho ver o quão vivaz ela é de corpo e alma, e como é sagaz em tudo o que faz." Ela lançava indiretas para obter elogios, como quando reclamava que era "tola e velha". No ano seguinte, um visitante alemão afirmou que seu rosto oblongo era "claro, porém enrugado", o nariz, adunco, os lábios, estreitos e "o cabelo… de cor avermelhada, mas postiço".

A rainha estava se sentindo isolada na corte. Depois da morte de Dudley, em 1588, ela fora perdendo todos os conselheiros de maior confiança. *Sir* Francis Walsingham morreu em 1590 e *sir* Christopher Hatton, em 1591. William Cecil, seu principal conselheiro, estava velho. Mesmo surdo e incapaz de se deslocar a não ser carregado numa cadeira, não lhe era permitida a aposentadoria, já que a rainha dependia completamente dele. Durante sua última enfermidade, a rainha permaneceu a seu lado, alimentando-o com uma colher, e sentiu profundamente sua morte, em 1598. William foi sucedido como secretário de Estado por seu filho Robert. Este, porém, era um político frio e conspirador, bem diferente do pai.

Ainda que o povo inglês nunca tenha perdido a afeição por sua monarca, havia uma crescente desilusão nos últimos anos de Elizabeth. O conflito com a Espanha nunca cessara, perdurando a troca de ataques marítimos. Sob o clima de desconfiança, Elizabeth passou a depender mais de espiões e de propaganda. A repressão aos católicos foi intensificada e, em 1591, a rainha autorizou que comissões interrogassem proprietários de imóveis católicos.

O sistema político tornou-se mais corrupto nessa fase, com muitos gestores aceitando "presentinhos" em troca de favores especiais. Ademais, a rainha concedeu monopólios a favoritos. Isso levou a altas de preços, para indignação geral. Quando o Parlamento intercedeu, Elizabeth respondeu às críticas com seu "Discurso de Ouro", em 27 de outubro de 1601: "Nunca haverá rainha que se sente em meu lugar com mais zelo a meu país, mais preocupação com meus súditos e que com maior prontidão arrisque a vida por seu bem e sua segurança que eu. Pois não é meu desejo viver nem reinar por mais tempo do que minha própria vida, e que o reinado seja pelo seu bem. E embora vocês tenham tido, e possam vir a ter, muitos príncipes mais corajosos e sábios sentados neste lugar, vocês não tiveram nem terão, porém, um que seja mais zeloso e amoroso".

Com esse discurso, Elizabeth ganhou o dia. Como disse o cortesão John Harrington: "Nós todos a amávamos… pois ela disse que nos amava".

O FIM DE UMA ERA

Em setembro de 1602, Elizabeth celebrou seu 69º aniversário. Ela sofria de reumatismo e sua visão estava fraca, mas, de resto, a saúde parecia boa. Visitantes relataram que ela ainda andava com agilidade e que, num bom dia, era capaz de cavalgar por dez milhas. Entretanto, havia sinais de que a memória falhava e ela começara a ter dificuldade em se concentrar nos negócios de Estado.

Com o avanço do inverno, Elizabeth afundou-se em depressão e, em fevereiro de 1603, sua tristeza intensificou-se com a morte de sua amiga íntima, a condessa de Nottingham. No início de março, ela desenvolveu uma febre, começou a recusar comida e não conseguia dormir. Contudo, apesar da fraqueza evidente, não aceitava ficar de cama ou tomar os remédios que lhe prescreviam. Em 18 de março, ficou evidente que Elizabeth estava morrendo – provavelmente de pneumonia. De acordo com um relato, ela "já parecia inconsciente em alguma medida, segurando o dedo na boca, com os olhos pregados no chão", mas levou

Com a meia-idade e depois de uma varíola, a "Rainha Virgem" passou a carregar na maquiagem

Retrato de Elizabeth I, pintura, Nicholas Hilliard, c. 1599, Hardwick Hall

MAQUIAGEM E PERUCAS

O costume de Elizabeth de encher o rosto com maquiagem remontava ao início da meia-idade. Seu episódio de varíola, aos 29 anos, deixara suas bochechas com cicatrizes e buracos permanentes, e alegou-se que ela ficou parcialmente careca. Depois da convalescência, ela adotou uma nova forma de apresentação para o público. Em vez do estilo natural dos 20 anos, passou a usar uma maquiagem pesada e várias perucas e apliques elaborados.

As damas elisabetanas comumente aplicavam uma loção "branqueadora" na face e nos seios. Esse composto era feito de *cerusa*, uma mistura de vinagre e alvaiade, que tinha o lamentável efeito colateral de envenenar a usuária. Clara de ovo crua era usada para "dar brilho" à tez, criando uma superfície lisa e ajudando a esconder rugas. Lábios e bochechas eram enrubescidos com o uso de corantes naturais como garança, cochonilha e ocre, mas o vermelhão (sulfeto mercúrico) era o preferido das elegantes damas da corte.

As mulheres pingavam gotas de beladona nos olhos para fazer com que brilhassem e delineavam as pálpebras com pó de antimônio. Perucas e apliques eram enrolados e moldados para compor penteados extravagantes, adornados com pérolas e joias. As perucas eram feitas de cabelo humano, e as garotas eram aconselhadas a cobrir os cabelos quando andassem pela cidade à noite, para evitar que fossem cortados e transformados em peruca.

mais dois dias para que ela fosse convencida a ir para a cama. Daquele momento em diante, não comeu mais e começou a perder a capacidade de falar. Nas primeiras horas do dia 24 de março de 1603, morreu tranquilamente.

O funeral de Elizabeth foi um evento grandioso. Depois de cinco dias no palácio de Richmond (onde ela morrera), o esquife da rainha foi carregado rio abaixo em uma barcaça iluminada por tochas e mantido no Westminster Hall até o dia do funeral, em 28 de abril. O caixão chegou à abadia de Westminster num carro funerário puxado por quatro cavalos envoltos em veludo preto. Milhares de pessoas apinharam-se para prestar o último tributo à "Boa Rainha Bess". Uma testemunha da época escreveria: "Houve um suspiro, gemidos e choro generalizados, como nunca se viram ou se conheceram na história da humanidade".

DEPOIS DE ELIZABETH

Nos meses finais da rainha, Robert Cecil estivera ocupado fazendo preparativos secretos para uma sucessão tranquila. Jaime VI da Escócia tinha uma reivindicação legítima ao trono, uma vez que era o parente régio mais próximo de Elizabeth – e ele era protestante, o que tinha grande importância. Cecil encorajara Jaime a fazer as vontades de Elizabeth, e suas investidas renderam-lhe a aprovação da rainha. Assim, é possível presumir que ela tenha concordado com as pretensões dele, embora nunca o tenha nomeado como sucessor. Dessa forma, a estabilidade foi preservada, com o filho de Mary, rainha da Escócia, tornando-se rei da Inglaterra. Jaime mostrou sua gratidão pela fácil acesso por meio da construção de um grandioso mausoléu para Elizabeth – junto com um para a sua mãe.

Muitas pessoas saudaram com entusiasmo o reinado do monarca Stuart. Todavia, em retrospectiva, o tempo de Elizabeth logo começou a ser visto como uma era de ouro. Por quase 45 anos, ela oferecera paz e estabilidade ao país. A rainha fortalecera a Igreja da Inglaterra, fazendo de seu reino uma nação protestante onde católicos eram largamente tolerados. A Inglaterra tornara-se uma potência naval, e as sementes do comércio internacional haviam sido plantadas. A literatura e demais artes floresceram. Mais do que qualquer outra figura da monarquia, Elizabeth moldou a identidade inglesa, instilando em seu povo um sentimento de orgulho nacional e tornando-se a representação viva do espírito de luta inglês.

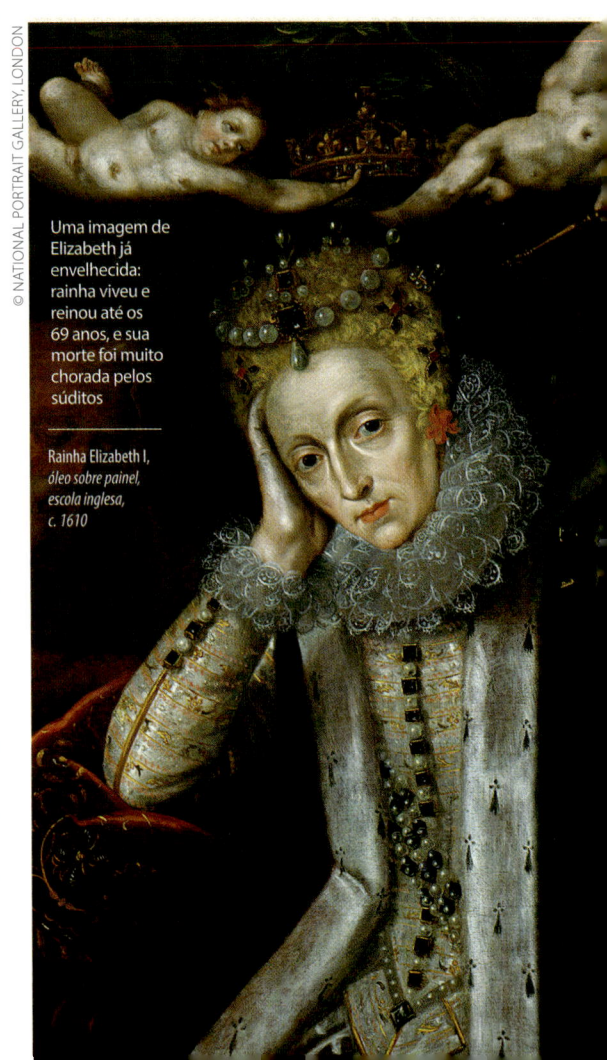

Uma imagem de Elizabeth já envelhecida: rainha viveu e reinou até os 69 anos, e sua morte foi muito chorada pelos súditos

Rainha Elizabeth I, *óleo sobre painel, escola inglesa, c. 1610*

EPÍLOGO

A Rosa Tudor: símbolo da dinastia

O LEGADO DA DINASTIA TUDOR

A Era Tudor durou quase 120 anos. De 1485, quando Henrique Tudor reclamou o trono inglês, a 1603, quando Elizabeth I morreu sem deixar herdeiros, três gerações de monarcas presidiram uma era de imensas mudanças e reviravoltas. Quando o Rei Jaime I chegou ao trono, a Inglaterra fora transformada de um reino medieval secundário em um importante ator do cenário mundial, e o povo inglês construíra um sentimento de identidade – em muito devido às figuras carismáticas do Rei Henrique VIII e de sua filha, a Rainha Elizabeth.

No país que Henrique VII assumiu em 1485, grande parte do poder estava nas mãos de um pequeno grupo de senhores de terra rivais. Uma grande porção das riquezas nacionais estava sob o domínio da Igreja Católica, e o papa esperava obediência incondicional do soberano inglês. O comércio era feito basicamente com a Europa, ao passo que o Novo Mundo ainda estava para ser descoberto. Na conjuntura internacional, a Inglaterra era apenas um pequeno reino do norte, ameaçado ora pela Escócia, ora pela França.

No entanto, em um século, tudo isso tinha mudado. No início do século XVII, Elizabeth governava um país muito diferente. O poder da aristocracia proprietária de terras havia sido reduzido e os mosteiros católicos estavam dissolvidos. Depois dos reinados turbulentos de Eduardo VI e Mary I, a vida religiosa na Inglaterra havia se ajustado.

A dissolução dos monastérios realizada por Henrique VIII havia ajudado a promover importantes mudanças na sociedade, uma vez que as vastas propriedades monásticas foram tomadas por proprietários laicos. Ao mesmo tempo, latifundiários começaram a "cercar" as terras comuns, fazendo com que os camponeses deixassem a agricultura e a vida no campo e se mudassem para as cidades. Ao final do período Tudor, havia sérios problemas de pobreza e vadiagem urbana, num momento em que os antigos refúgios para os pobres – os conventos – não existiam mais. As Leis dos Pobres elisabetanas tentaram, de alguma forma, lidar com esses graves problemas sociais, mas o enfrentamento dessa difícil questão seria tarefa de seus sucessores.

No século XVII, a Inglaterra passara a ser reconhecida como uma potência europeia a ser considerada no xadrez diplomático. Henrique VIII dera grandes contribuições para isso, desenvolvendo a marinha inglesa e instituindo um sólido sistema de defesa costeira. Sob o reinado de Elizabeth, a Inglaterra tornou-se uma potência marítima formidável, capaz de resistir a tentativas de invasão. Embora a Inglaterra tenha iniciado o século XVII sem terras estrangeiras sob seus domínios, tendo perdido Calais durante o reinado de Mary, ela era vista como uma nação que impunha respeito e até temor.

Em suas próprias terras, os monarcas Tudors tiveram pulso firme sobre seu reino, resistindo a todas as tentativas de rebelião. Mesmo nos reinados conturbados de Eduardo e Mary, a anarquia nunca prevaleceu no país. Gradativamente, os Tudors também expandiram seu controle territorial. Em 1492, Henrique VIII completou a união da Inglaterra com o Principado de Gales, ao passo que Elizabeth progrediu na imposição de sua autoridade real sobre a Irlanda. A Escócia permanecia uma ameaça, mas, com Jaime I na sucessão, a união foi finalmente alcançada.

Na dinastia Tudor, o governo foi um tanto simplificado, à medida que os tribunais foram reformados e que os impostos foram reorganizados. Os monarcas Tudor confiavam em alguns poucos conselheiros insuspeitos, sendo que Henrique VII, Henrique VIII e Elizabeth escolheram bem todos os seus assessores.

Os Tudors regeram um período de rápido crescimento no comércio. Ao final do reinado de Elizabeth, fazendeiros, fabricantes e comerciantes ingleses haviam todos se beneficiado do longo período de paz e estabilidade. Londres florescia enquanto centro de comércio internacional, e os comerciantes haviam firmado importantes laços comerciais com Europa, Ásia e o Novo Mundo. Os monarcas Tudor também estimularam projetos de edificação, fornecendo recursos financeiros para alguns palácios, faculdades e escolas magníficos.

A Inglaterra assistiu a um desabrochar surpreendente na cultura. Com o incentivo direto dos governantes, teatro, poesia, música e artes plásticas floresceram durante o século XVI. A extraordinária explosão de talento que inundou esse período contribuiu para que o povo inglês desenvolvesse um sentimento renovado de autoconfiança e orgulho nacional, que comumente focalizava a figura da monarquia.

Henrique VIII e Elizabeth, particularmente, tinham grande engenho em sua apresentação pessoal. Eles foram capazes de inspirar sentimentos de reverência e devoção em seus súditos, representando tudo que havia de melhor e de mais nobre no espírito inglês.

É uma mágica que resiste até hoje.